十一家註孫子卷中

勢篇

曹操曰用兵任勢也○李筌曰陳以形成如決建瓴之勢故以是篇次之○王晳曰勢者積勢之變也善戰者能任勢以取勝不勞力也○張預曰兵勢已成然後任勢以取勝故次形

孫子曰凡治衆如治寡分數是也曹操曰部曲爲分什伍爲數○李筌曰善用兵者將鳴一金舉一旗而三軍盡應號令既定如寡焉○杜牧曰分者分別也數者人數也言部曲行伍皆分別其人數多少各任偏裨長伍訓練昇降皆責成之故我所治者寡也韓信曰多多益辦是也○陳皞曰若聚兵既衆即須多爲部伍部伍之内各有小吏以主之故分其人數使之訓齊決斷遇敵臨陳授以方略則我統之雖衆治之益寡○孟氏曰分除伍也數兵之大數也分數多少制置先定○梅堯臣曰部伍奇正之分數各有所統○王晳曰分數謂部曲也偏裨各有部分與其人數若師旅卒兩之屬○張預曰統衆既多必先分偏裨之任定行伍之數使不相亂然後可用故治兵之法一人曰獨二人曰比三人曰參比參爲伍五人爲列二列爲火五火爲隊二隊爲官二官爲曲二曲爲部二部爲校二校爲裨二裨爲軍遞相統屬各加訓練雖治百萬之衆如治寡也

鬭衆如鬭寡形名是也曹操曰旌旗曰形金鼓曰名○杜牧曰旌旗鐘鼓敵亦有之我安得獨爲形名鬭衆如鬭寡也夫形者陳形也名者旌旗也戰法曰陳間容陳足曳白刃故大陳之中復有小陳各占地分皆有陳形旗者各依方色或認以鳥獸某將某陳自有名號形名已定志專勢孤人自爲戰敗則自敗勝則自勝戰百萬之兵如戰一夫此之是也○陳皞曰夫軍士既衆分布必廣臨陳對敵遞不相知故設旌旗之形使各認之進退遲速又不相聞故設金鼓以節之所以令之曰聞鼓則進聞金則止曹説是也○梅堯臣曰形以旌旗名以采章指麾應速無有後先○王晳曰曹公曰旌旗曰形金鼓曰名晳謂形者旌旗金鼓之制度名者各有其名號也○張預曰軍政曰言不相聞故爲鼓鐸視不相見以爲旌旗今用兵既衆相去必遠耳目之力所不聞見故令士卒望

[illegible]

孫子曰凡治衆如治寡分數是也

[illegible]

旌旗之形而前却聽金鼓之號而行止則勇者不得獨進怯者不得獨退故曰此用衆之法也

三軍之衆可使必受敵而無敗者奇正是也

曹操曰先出合戰爲正後出爲奇○李筌曰當敵爲正傍出爲奇將三軍無奇兵未可與人爭利漢吳王濞擁兵入大梁吳將田伯祿說吳王曰兵屯聚而西無他奇道難以立功臣願得五萬人別循江淮而上收淮南長沙入武關與大王會此亦一奇也不從遂爲周亞夫所敗此則有正無奇○杜牧曰解在下文○賈林曰當敵以正陳取勝以奇兵前後左右俱能相應則常勝而不敗也○梅堯臣曰動爲奇靜爲正靜以待之動以勝之○王晳曰必當作畢字誤也奇正還相生故畢受敵而無敗也○何氏曰兵體萬變紛紜混沌無不是正無不是奇若兵以義舉者正也臨敵合變者奇也我之正使敵視之爲奇我之奇使敵視之爲正正亦爲奇奇亦爲正大抵用兵皆有奇正無奇正而勝者幸勝也浪戰也如韓信背水而陳以兵循山而拔趙幟以破其國則背水正也循山奇也信又盛兵臨晉而以木罌從夏陽襲安邑而虜魏王豹則臨晉正也夏陽奇也由是觀之受敵無敗者奇正之謂也尉繚子曰今以鎮鄉之利犀兕之堅三軍之衆有所奇正則天下莫當其戰矣○張預曰三軍雖衆使人人皆受敵而不敗者在乎奇正也奇正之說諸家不同尉繚子則曰正兵貴先奇兵貴後曹公則曰先出合戰爲正後出爲奇李衛公則曰兵以前向爲正後却爲奇此皆以正爲正以奇爲奇曾不說相變循環之義唯唐太宗曰以奇爲正使敵視以爲正則吾以奇擊之以正爲奇使敵視以爲奇則吾以正擊之混爲一法使敵莫測茲最詳矣

兵之所加如以碬投卵者虛實是也

曹操曰以至實擊至虛○李筌曰碬實卵虛以實擊虛其勢易也○孟氏曰碬石也兵若訓練至整部領分明更能審料敵情委知虛實後以兵而加之實同以碬石投卵也○梅堯臣曰碬石也音遐以實擊虛猶以堅破脆也○王晳曰鍛治鐵也○何氏曰用兵識虛實之勢則無不勝○張預曰下篇曰善戰者致人而不致於人此虛實彼我之法也引致敵來則彼勢常虛不往赴彼則我勢常實以實擊虛如舉石投卵其破之必矣夫合軍聚衆先定分數分數明然後習形名形

名正然後分奇正奇正當然後虛實可見矣四事所以次序也

凡戰者以正合以奇勝

曹操曰正者當敵奇兵從傍擊不備也○李筌曰戰無其詐難以勝敵○杜佑曰正者當敵奇者從傍擊不備以正道合戰以奇變取勝也○梅堯臣曰用正合戰用奇勝敵○何氏曰如戰國廉頗爲趙將秦使間曰秦獨畏趙括耳廉頗易與且降矣會頗軍多亡失數敗堅壁不戰又聞秦反間之言使括代頗至則出軍擊秦秦軍佯敗而走張二奇兵以刼之趙軍逐勝追造秦壁壁堅拒不得入而秦奇兵二萬五千絕趙軍後又五千騎絕趙壁間趙兵分爲二被道絕括卒敗又唐突厥犯塞煬帝令唐高祖與馬邑太守王仁恭率衆備邊會虜寇馬邑仁恭以衆寡不敵有懼色高祖曰今主上遐遠孤城絕援若不死戰難以圖全於是親選精騎四千出爲遊軍居處飲食隨逐水草一同於突厥見虜候騎但馳騁獵耳若輕之及與虜相遇則掎角置陣選善射者爲別隊持滿以待之虜莫能測不敢決戰因縱奇兵擊走之獲其特勤所乘駿馬斬首千餘級又太宗選精銳千餘騎爲奇兵皆皁衣玄甲分爲左右隊建大旗令騎將秦叔寶程齩金等分

統之每臨寇太宗躬被玄甲先鋒率之候機而進所向摧殄常以少擊衆賊徒氣懾又五代漢高祖在晉陽郭進往依之漢祖壯其材會北虜暑安陽城因遣進攻拔之戎人遁去授坊州刺史虜主道斃高祖出奇兵并陘進以間道先入洛北因定河北此皆以奇勝之迹也○張預曰兩軍相臨先以正兵與之合戰徐發奇兵或擣其旁或擊其後以勝之若鄭伯禦燕師以三軍軍其前以潛軍軍其後是也

故善出奇者無窮如天地

李筌曰動靜也

不竭如江河

李筌曰通流不絕○杜佑曰言應變出奇無窮竭○張預曰言應變出奇無有窮竭

終而復始日月是也死而復生四時是也

李筌曰奇變如日月四時去盈寒暑不停○杜佑曰日月運行入而復出四時更王興而復廢言奇正變化或若日月之進退四時之盛衰也○張預曰日月運行入而復出四時更一盛而復衰喻奇正相變紛紜渾沌終始無窮也

聲不過五

李筌曰宮商角徵羽也

五聲之變不

[illegible]

是以先[illegible]

故書[illegible]

[illegible]以工合以[illegible]

可勝聽也李筌曰變入八音奏樂之曲不可盡聽色不過五李筌曰青黃赤白黑也五色之變不可勝觀也味不過五李筌曰酸辛鹹甘苦也五味之變不可勝嘗也曹操曰自無窮如天地已下皆以喻奇正之無窮也○李筌曰五味之變庖宰鼎飪也○杜牧曰自無窮如天地已下皆喻八陳奇正也○張預曰引五聲五色五味之變以喻奇正相生之無窮戰勢不過奇正奇正之變不可勝窮也李筌曰邀截掩襲萬途之勢不可窮盡也○梅堯臣曰奇正之變猶五聲五色五味之變無盡也○王晳曰奇正者用兵之鈐鍵制勝之樞機也臨敵運變循環不窮窮則敗也○孟氏曰六韜云奇正發於無窮之源○張預曰戰陳之勢止於奇正一事而已及其變而用之則萬途千轍烏可窮盡奇正相生如循環之無端孰能窮之李筌曰奇正相依而生如環圜圓不可窮端倪也○梅堯臣曰變動周旋之不極○王晳曰敵不能窮我也○何氏曰奇正生而轉相爲變如循歷其環求首尾之莫窮也○張預曰奇亦爲正正亦爲奇變化相生若循環之無本末誰能窮詰激水之疾至於漂石者勢也孟氏曰勢峻則巨石雖重不能止○杜佑曰言水性柔弱石性剛重至於漂轉大石投之洿下皆由急疾之流激得其勢○張預曰水性柔弱險徑要路激之疾流則其勢可以轉巨石也鷙鳥之疾至於毀折者節也曹操曰發起擊敵○李筌曰柔勢可以轉剛況於兵者乎彈射之所以中飛鳥者善於疾而有節制○杜牧曰勢者自高注下得險疾之勢故能漂石也節者節量遠近則搏之故能毀折物也○杜佑曰發起討敵如鷹鸇之攫撮也必能挫折禽獸者皆由伺候之明邀得屈折之節也王子曰鷹隼一擊百鳥無以爭其勢猛虎一奮萬獸無以爭其威○梅堯臣曰水雖柔勢迅則漂石鷙雖微節勁則折物○王晳曰鷙鳥之疾亦勢也由勢然後有搏擊之節下要云險故先取漂石以喻也○何氏曰水能動石高下之勢

也鷙能搏物能節其遠近也○張預曰鷹鸇之擒鳥雀必節量遠近伺候審而後擊故能折物尉繚子曰便吾器用養吾武勇發之如鳥擊李靖曰鷙鳥將擊卑飛歛翼皆言待之而後發也

是故善戰者其勢險曹操李筌曰險猶疾也○杜牧曰險者言戰爭之勢發則殺人故下文喻如彍弩○王皙曰險者折以致其疾也如水得險隘而成勢**其節短**曹操李筌曰短近也○杜牧曰言以近節也如鷙鳥之發近則搏之力全志專則必獲也○杜佑曰短近也節斷也短近言能因危取勝以卒擊近也○梅堯臣曰險則迅短則勁故戰之勢當險疾而短近也○王皙曰鷙之能搏者發必中來勢遠而所搏之節至短也兵之乘機當如是耳曹公曰短者近也○孟氏同杜牧註○張預曰險疾短近也言善戰者先度地之遠近形之廣狹然後立陳使部伍行列相去不遠其進擊則以五十步為節不可過遠故勢迅則難禦節近則易勝

勢如彍弩節如發機曹操曰在度不遠發則中也○李筌曰弩不疾則不遠矢不近則不中勢尚疾節務速○杜牧曰彍張也如弩已張發則殺人故上文云其勢險也機者固須以近節量之然後必能中故上文云其節短短乃近也此言戰陳不可遠逐敵人恐有隊伍離散斷絕反為敵所乘也故牧野誓曰六步七步四伐五伐是以近也○陳皞曰弩之發機近則易中戰之遇敵疾則易捷若趨馳不速奮擊不近則不能克敵而全勝○賈林曰戰之勢如弩之張兵之勢如機之發○梅堯臣曰彍音霍彍張也如弩之張勢不逡巡如機之發節近易中也○王皙曰戰勢如弩之張者所以有待也待其有可乘之勢如發其機○何氏曰險疾也短近也此言擊戰得形便如張弩發機勢宜疾速仍利於便近不得追擊過差也故太公曰擊如發機者所以破精微也○張預曰如弩之張勢不可緩如機之發節不可遠言趨利尚疾奮擊貴近也故太公曰擊如發機者所以破精微也

紛紛紜紜鬭亂而不可亂也渾渾沌沌形圓而不可敗也曹操曰旌旗亂也示敵若亂以金鼓齊之車騎轉而形圓者出入有道齊整也○李筌曰紛紜而鬭示如可亂建旌有部鳴金有節是以不可亂也渾沌合雜也形圓無向背也示

敵可敗而不可敗者號令齊整也○杜牧曰此言陳法也風后握奇文曰四爲正四爲奇餘奇爲握奇音機或總稱之先出游軍定兩端此之是也奇者零也陳數有九中心有零者大將握之不動以制四面八陳而取準則焉其人之列面面相向背背相承也周禮蒐苗獮狩車驟徒趨及表乃止進退疾徐疏密之節一如戰陳表乃旗也旗者蓋與民期於下也握奇文曰先出游軍定兩端蓋游軍執本方旗先定地界然後軍士赴之兵於旗下乃出奇正變爲陳也周禮蒐苗獮狩車驟徒趨及表乃止此則八陳遺制握奇之文止此而已其餘之詞乃後之作者增加之以重難其事耳夫五兵之利無如弧矢之利以威天下五兵同致天獨有弧矢星聖人獨言弧矢能威天下不言他兵何也蓋戰法利於弧矢者非得陳不見其利故黃帝勝於蚩尤以中夏車徒制夷虜騎士此乃弧矢之利也在於近代可以驗之者晉武時羌陷涼州司馬督馬隆請募勇士三千平之募腰引弩三十六鈞弓四鈞立標簡試軍西渡溫水虜樹機能以衆萬計過隆隆依八陳法且戰且前弓矢所人皆應弦而倒誅殺萬計涼州遂平隋時突厥入寇楊素擊之先是諸將與虜戰每虞胡騎奔突皆戎車徒

步相參昇鹿角爲方陳騎在其內素悉除舊法令諸軍各爲步騎突厥聞之以手加額仰天曰天賜我也大率精騎十餘萬而至素一戰大破之此乃以徒步制騎士若非有陳法知開闔首尾之道安能致勝也曲禮曰行前朱雀而後玄武左青龍而右白虎招搖在上急繕其怒鄭司農云以四獸爲軍陳象天也孔疏曰此言軍行象天文而作陳法但不知作之何如耳何徹云畫此四獸於旌旗上以標前後左右之陳也急繕其怒言其卒之勁利威怒如天之怒也招搖北斗杓第七星也舉此則六星可知也陳象天文即北斗也復曰進退有度鄭司農註曰度謂伐與步數也孔疏曰如牧野誓云六步七步四伐五伐是也復曰左右有局鄭司農註曰局是步分孔疏曰言軍之左右各有部分進則就敵退則就列不相差濫也下文復曰父之讎弗與共戴天兄弟之讎不返兵交遊之讎不同國四郊多壘此卿大夫之辱也此言讎辱至於戰爭期在必勝固不可不知陳法也其文故相次而言乃聖賢之深旨矣軍志曰陳間容陳足曳白刃隊間容隊可與敵對前禦其前後當其後左防其左右防其右行必魚貫立必鴈行長以參短短以參長回軍轉陳以前爲後以後爲前進無

奔迸退無逕走四頭八尾觸處爲首敵衝其中兩頭俱救此亦與曲禮之說同數起於五而終於八今夔州州前諸葛武侯以石縱横八行布爲方陳奇正之出皆生於此奇亦爲正之正正亦爲奇之奇彼此相用循環無窮也諸葛出斜谷以兵少但能正用六數今盩厔司竹園乃有舊壘司馬懿以十萬步騎不敢決戰蓋知其能也○杜佑曰旌旗亂也示敵若亂以金鼓齊之紛紛紜紜士卒貌言旌旗翻轉一合一離士卒進退或往或來視之若散擾之若亂然其法令素定度職分明各有分數擾而不亂者也車騎齊轉形圓者出入有道齊整也渾渾車輪轉行沌沌步驟奔馳視其行陳縱横圓而不方然而指趨各有所應故王子曰將欲内明而外暗内治而外混所以示敵之輕己者也○梅堯臣曰分數已定形名已立離合散聚似亂而不能亂形無首尾應無前後陽旋陰轉欲敗而不能敗○王晳曰曹公曰旌旗亂也示敵若亂以金鼓齊之矣晳謂紛紜鬬亂之貌也不可亂者節制嚴明耳又曹公曰車騎轉而形圓者出入有道齊整也晳謂渾沌形圓不測之貌也不可敗者無所隙缺又不測故也○何氏曰此言鬬勢也善將兵者進退紛紛似亂然士馬素習旌旗

有節非亂也渾沌形勢乍離乍合人以爲敗而號令素明離合有勢非可敗也形圓無行列也○張預曰此八陳法也昔黄帝始立丘井之法因以制兵故井分四道八家處之井字之形開方九焉五爲陳法四爲閑地所謂數起於五也虚其中大將居之環其四面諸部連繞所謂終於八也及乎變化制敵則紛紜散鬬雖亂而法不亂渾沌交錯形雖圓而勢不散所謂分而成八復而爲一也後世武侯之方陳李靖之六花唐太宗之破陳樂舞皆其遺制也

亂生於治怯生於勇弱生於彊

曹操曰皆毁形匿情也○李筌曰恃治之整不撫其下而多怨其亂必生秦并天下銷兵焚書以列國爲郡縣而秦自稱始皇都關中以爲至萬代有之至胡亥矜驕陳勝吴廣乘弊而起所謂亂生於治也以勇陵人爲敵所敗秦王苻堅鼓行伐晉勇也及甘敗聞風聲鶴唳以爲晉軍是其怯也所謂怯生於勇也吴王夫差兵無敵於天下陵齊於黄池陵越於會稽是其彊也爲越所敗城門不守兵圍王宮殺夫差而并其國所謂弱生於彊也○杜牧曰言欲僞爲亂形以誘敵人先須至治然後能爲僞亂也欲僞爲怯形以伺敵

人先須至勇然後能爲僞怯也欲僞爲弱形以驕敵人先須至彊然後能爲僞弱也○賈林曰恃治則亂生恃勇彊則怯弱生○梅堯臣曰治則能僞爲亂勇則能僞爲怯彊則能僞爲弱○王晳同梅堯臣註○何氏曰言戰時爲奇正形勢以破敵也我兵素治矣我士素勇矣我勢素彊矣若不匿治勇彊之勢何以致敵須張似亂似怯似弱之形以誘敵人彼或我誘之之狀破之必矣○張預曰能示敵以紛亂必已之治也能示敵以懦怯必已之勇也能示敵以羸弱必已之強也皆匿形以誤敵人**治亂數也**曹操曰以部曲分名數爲之故不亂也○李筌曰歷數也百六之災陰陽之數不由人興時所會也○杜牧曰言行伍各有分畫部曲皆有名數故能爲治然後能爲僞亂也夫爲僞亂者出入不時樵採縱橫刁斗不嚴是也○賈林曰治亂之分各有度數○梅堯臣曰以治爲亂存之乎分數○王晳曰治亂者數之變數謂法制○張預曰實治而僞示以亂明其部曲行伍之數也上文所謂治衆如治寡分數是也**勇怯勢也**李筌曰夫兵得其勢則怯者勇失其勢則勇者怯兵法無定惟因勢而成也○杜牧曰言以勇爲怯者也見有

利之勢而不動敵人以我爲實怯也○陳皞曰勇者奮速也怯者淹緩也敵人見我欲進不進即以我爲怯也必有輕易之心我因其懈情假勢以攻之龍且輕韓信鄭人誘我師是也○孟氏註同陳皞○梅堯臣曰以勇爲怯示之以一取○王晳曰勇怯者勢之變○張預曰實勇而僞示以怯因其勢也魏將龐涓攻韓齊將田忌救之孫臏謂忌曰彼三晉之兵素悍勇而輕齊齊號爲怯善戰者因其勢而利導之使齊軍入魏地日減其竈涓聞之大喜曰吾素知齊怯乃倍日并行逐之遂敗於馬陵**彊弱形也**曹操曰形勢所宜○杜牧曰以彊爲弱須示其形匈奴冒頓示婁敬以羸老是也○陳皞曰楚王毀中軍以張隨人用爲後圖此類也○梅堯臣曰以彊爲弱形之以羸懦○王晳曰彊弱者形之變○何氏曰形勢暫變以誘敵戰非怯非弱也示亂不亂隊伍本整也○張預曰實彊而僞示以弱見其形也漢高祖欲擊匈奴遣使覘之匈奴匿其壯士肥馬見其弱兵羸畜使者十輩皆言可擊惟婁敬曰兩國相攻宜矜誇其長今徒見老弱必有奇兵不可擊也帝不從果有白登之圍**故善動敵者形之敵必**

從之曹操曰見羸形也○李筌曰善誘敵者軍或彊能進退其敵也晉人伐齊斥山澤之險雖所不至必旆而疏陳之輿曳柴
從之齊人登山而望晉師見旌旗揚塵謂其衆而夜遁則晉弱齊爲
彊也齊伐魏將田忌用孫臏謀減竈而趨大梁魏將龐涓逐之曰齊
虜何其怯也入吾境亡者半矣及馬陵爲齊人所敗殺龐涓虜魏太
子而旋形以弱而敵從之也○杜牧曰非止於羸弱也言我彊敵弱
則示以羸形動之使來我弱敵彊則示之以彊形動之使去敵之動
作皆須從我孫臏曰齊國號怯三晉輕之令入魏境爲十萬竈明日
爲五萬竈魏龐涓逐之曰齊虜何怯也入吾境士亡者太半因急追
之至馬陵道狹臏乃斫木書之曰龐涓死此樹下伏弩於側令曰見
火始發涓至鑽燧讀之萬弩齊發龐涓死此乃示以羸形能動龐涓
遂來從我而殺之也隋煬帝於鴈門爲突厥始畢可汗所圍太宗應
募救援隸將軍雲定興營將行謂定興曰必多齎旗鼓以設疑兵且
始畢可汗敢圍天子必以我倉卒無援我張吾軍容令數十里晝則
旌旗相續夜則鉦鼓相應虜必以爲救兵雲集覩塵而遁不然彼衆
我寡不能久矣定興從之師次崞縣始畢遁去此乃我弱敵彊示之

以彊動之令去故敵之來去一皆從我之形也○梅堯臣曰形亂弱
而必從○王晳曰誘敵使必從○何氏曰移形變勢誘動敵人敵昧
於戰必落我計中而來力足制之○張預曰形之以羸弱敵必來從
晉楚相攻苗賁皇謂晉侯曰若欒范易行以誘之中行二郤必克二
穆果敗楚師又楚伐隋羸師以張之季良曰楚之羸誘我也皆此二義也

予之敵必取之曹操曰以利誘敵敵遠離其壘而以便勢擊其空虛孤特也○杜牧曰曹公與袁紹
相持官渡曹公循河而西紹於是渡河追公公營南阪下馬解鞍時
白馬輜重就道諸將以爲敵騎多不如還營荀攸曰此所以餌敵也
安可去之紹將文醜與劉備將五六千騎前後繼至或分趨輜重公
曰可矣乃皆上馬時騎不滿六百人遂大破之斬文醜○梅堯臣曰
示畏怯而必取○王晳曰餌敵使必取予與同○張預曰誘之以小
利敵必來取吳以囚徒誘越楚以樵者誘絞是也

以利動之以卒待之曹操曰以利動敵也
○李筌曰後漢大司馬鄧禹之攻赤眉也赤眉佯北棄輜重而遁車
皆載土覆之以豆禹軍乏食競趨之不爲行列赤眉伏兵奄至擊之

禹、、必則其義也○杜牧曰以利動敵敵既從我則嚴兵以待之上文所解是也○梅堯臣曰以上數事動誘動而從我則以精卒待之○王晳曰或使之從或使之取必先嚴兵以待之也○何氏曰敵貪我利則失行列利既能動則以所待之卒擊之無不勝也如曹公西征馬超與超夾關爲軍公急持之而潛遣徐晃朱靈等夜渡蒲坂津據河西爲營公自潼關北渡未濟超赴船急戰公放牛馬以餌賊賊亂取牛馬公得渡循河爲甬道而南賊退距渭口公乃多設疑兵潛以舟載兵入渭爲浮橋夜分兵結營於渭南賊夜攻營伏兵奮擊破之十六國南梁禿髮傉檀守姑臧後秦姚興遣將姚弼等至於城下傉檀驅牛羊於野弼衆採掠傉檀分兵擊大破之後魏末大將廣陽王元深伐北狄使于謹單騎入賊中示以恩信於是西部鐵勒酋長乜列河等三萬餘户並款附相率南遷廣陽欲與謹至折敷嶺迎接之謹曰破六汗拔陵兵衆不少聞乜列河等歸附必來邀擊彼若先據險要則難與爭鋒今以乜列河等餌之當競來抄掠然後設伏而待必指掌破之廣陽然其計拔陵果來邀擊破乜列河於嶺上部衆皆没謹伏兵發賊遂大敗悉收得乜列河之衆○張預曰形之既從予之又取是能以利動之而來也則以勁卒待之李靖以卒爲本以本待之者謂正兵節制之師

故善戰者求之於勢不責於人

杜佑曰言勝負之道自圖於中不求之下責怒師衆彊使力進也若秦穆悔過不替孟明也

故能擇人而任勢

一作故能擇人而任之諸家作任勢者多矣○曹操曰求之於勢者專任權也不責於人者權變明也○李筌曰得勢而戰人怯者能勇故能擇其所能任之夫勇者可戰謹慎者可守智者可說無棄物也○杜牧曰言善戰者先料兵勢然後量人之材隨短長以任之不責成於不材者也曹公征張魯於漢中張遼李典樂進將千千餘人守合淝教與護軍薛悌署函邊曰賊至乃發俄而吳孫權十萬人衆圍合淝乃共發教曰若孫權至者張李將軍出戰樂將軍守護軍勿得與戰諸將皆疑遼曰公征在外比救至彼破我必矣是以教及其未合逆擊之折其威勢以安衆心然後可守成敗之機在此一舉典與遼同出果大破孫權吳人奪氣還修守備衆心乃安權攻城十日不拔乃退孫盛論曰夫兵詭道也至於合淝之守懸弱無援專

任勇者則好戰生患專任怯者則懼心難保且彼衆我寡衆者必懷
貪惰我以致命之師擊貪惰之卒其勢必勝勝而後守則必固矣是
以魏武雜選武力參以異同爲之密敎節宣其用事至而應若合符
契也○賈林曰讀爲擇人而任勢言示以必勝之勢使人從之豈更
外責於人求其勝敗擇勇怯之人任進退之勢○陳皥曰善戰者專
求於勢見利速進不爲敵先專任機權不責成於人苟不獲已而用
人即須擇而任之○杜佑曰權變之明能簡置於人任已之形勢也
○梅堯臣曰用人以勢則易責人以力則難能者當在擇人而任勢
○何氏曰得勢自勝不專責人以力也○王晳曰謂將能擇人任勢
以戰則自然勝矣人者謂偏裨與○張預曰任人之法使貪使愚使
智使勇各任自然之勢不責人之所不能故隨材大小擇而任之尉
繚子曰因其所長而用之言三軍之中有長於步者有長於騎者因
能而用則人盡其材又晉侯類能而使之是也

任勢者其戰人也如轉木石曹操曰任

木石之性安則靜危則動方則止圓則行

自然勢也○李筌曰任勢御衆當如此也○杜佑曰言投之安地則
安投之危地則危不知有所回避也任勢自然也方圓之形猶兵勝
負之形○梅堯臣曰木石重物也易以勢動難以力移三軍至衆也
可以勢戰不可以力使自然之道也○何氏同梅堯臣註○張預曰
木石之性置之安地則靜置之危地則動方正則止圓斜則行自然
之勢也三軍之衆甚陷則不懼無所往則固不得已則鬭亦自然之
道

故善戰人之勢如轉圓石於千仞之山者

勢也李筌曰蒯通以爲坂上走丸言其易也○杜牧曰轉石於千
仞之山不可止遏者在山不在石也戰人有百勝之勇彊弱
一貫者在勢不在人也杜公元凱曰昔樂毅藉濟西一戰能并彊齊
今兵威已成如破竹數節之後迎刃自解無復著手此勢也勢不可
失乃東下建鄴終滅吳此篇大抵言兵貴任勢以險迅疾速爲本故
能用力少而得功多也○梅堯臣曰圓石在山峗然其勢一人推之
千人莫制也○王晳曰石不能自轉因山之勢而不可遏也戰不能
妄勝因兵之勢而不可支也○張預曰石轉於山而不可止遏者由

勢使之也兵在於險而不可制禦者亦勢使之也李靖曰兵有三勢將輕敵士樂戰志勵青雲氣等飄風謂之氣勢關山狹路羊腸狗門一夫守之千人不過謂之地勢因敵怠慢勞役飢渴前營未舍後軍半濟謂之因勢故用兵任勢如峻坂走丸用力至微而成功甚博也

虛實篇

曹操曰能虛實彼己也○李筌曰善用兵者以虛爲實善破敵者以實爲虛故次其篇○杜牧曰夫兵者避實擊虛先須識彼我之虛實也○王晳曰凡自守以實攻敵以虛也○張預曰形篇言攻守勢篇說奇正善用兵者先知攻守兩齊之法然後知奇正先知奇正相變之術然後知虛實蓋奇正自攻守而用虛實由奇正而見故次勢

孫子曰凡先處戰地而待敵者佚曹操李筌並曰力有餘也○賈林曰先處形勝之地以待敵者則有備豫士馬閑逸○杜佑同賈林註○王晳同曹操註○張預曰形勢之地我先據之以待敵人之來則士馬閑逸而力有餘

註孫子中　十二　章

後處戰地而趨戰者勞李筌曰力不足也太一遁甲云彼來攻我則我爲主彼爲客主易客難也是以太一遁甲言其定計之義故知勞佚事不同先後勢異○杜牧曰後周遣將帥突厥之衆逼齊齊將段韶禦之時大雪之後周人以步卒爲前鋒從西而下去城二里諸將欲逆擊之韶曰步人氣力勢自有限今積雪既厚逆戰非便不如陳以待之彼勞我佚破之必矣既而交戰大破之前鋒盡殪自餘遁矣○賈林曰敵處便利我則不往引兵別據示不敵其軍敵謂我無謀必來攻襲如此則反令敵倦而我不勞○孟氏曰若敵已處便勢之地已方赴利士馬勞倦則不利矣○梅堯臣曰先至待敵則力完後至趨戰則力屈○何氏曰戰國秦師伐韓圍閼與趙遣將趙奢救之軍士許歷曰秦人不意趙師至此其來氣盛將軍必厚集其陳以待之不然必敗又曰先據北山者勝後至者敗趙奢即發萬人趨之秦兵後至爭山不得上趙奢縱兵擊之大破秦軍遂解閼與之圍後漢初諸將征隗囂爲囂所敗光武令悉軍栒邑未及至隗囂乘勝使其將王元行巡將二萬餘人下隴因分遣巡取栒邑漢將馮異

即馳馬欲先據之諸將皆曰虜兵盛而新乘勝不可與爭宜止軍便地徐思方略異曰虜兵方盛臨境狃怵小利遂欲深入若得栒邑三輔動搖是吾憂也夫攻者不足守者有餘今先據城以佚待勞非所以爭鋒也遂潛往閉城偃旗鼓行巡不知馳赴之異乘其不意卒擊鼓建旗而出巡軍驚亂奔走追而大破之東魏將齊神武伐西魏軍過蒲津涉洛至許原西魏將周文帝軍至沙苑齊神武聞周文至引軍來會詰朝候騎告齊神武軍且至周文步將李弼曰彼衆我寡不可平地置陳此東十里有渭曲可先據以待之遂軍至渭曲背水東西爲陳合戰大破之○張預曰便利之地彼已據之我方趨彼以戰則士馬勞倦而力不足或謂所戰之地我宜先到立陳以待彼則已佚矣彼先結陳我後至則我勞矣若宋人已成列楚師未既濟之類

故善戰者致人而不致於人

李筌曰故能致人之勞不致人之佚也○杜牧曰致令敵來就我我當蓄力待之不就敵人恐我勞也後漢張步將費邑分遣其弟敢守巨里耿弇進兵先脅巨里使多伐樹木揚言以塡坑塹數日有降者言邑聞弇欲攻巨里謀來救之弇乃嚴令

軍中趣修攻具宣勑諸部後三日當悉力攻巨里城陰緩生口令得亡歸歸者以弇期告邑至日果自將精兵三萬餘人來救之弇喜謂諸將曰吾修攻具者欲誘致邑耳今來適其所求也即分三千人守巨里自引精兵上岡阪乘高大破之遂臨陳斬費邑○杜佑曰言兩軍相遠彊弱俱敵彼可使歷險而來我不可歷險而往必能引致敵人已不往從也○梅堯臣曰能令敵來則敵勞我不往就則我佚○王晳曰致人者以佚乘其勞致於人者以勞乘其佚○何氏曰令敵自來○張預曰致敵來戰則彼勢常虛不往赴戰則我勢常實此乃虛實彼我之術也耿弇先逼巨里以誘致費邑近之

能使敵人自至者利之也

曹操曰誘之以利也○李筌曰以利誘之敵則自遠而至也趙將李牧誘匈奴則其義也○杜牧曰李牧大縱畜牧人衆滿野匈奴小入佯北不勝以數千人委之單于大喜率衆來入牧大破之殺匈奴十萬騎單于奔走歲餘不敢犯邊也○梅堯臣曰何能自來示之以利○何氏曰以利誘之而來我佚敵勞○張預曰所以能致敵之來者誘之以利耳李牧佯北以致匈奴楊素毀車以誘突厥是也

能

[illegible]

[illegible]舍人合至者利之也[illegible]

[illegible]

至於人[illegible]善[illegible]者[illegible]人而不

[illegible]

使敵人不得至者害之也曹操曰出其所必趨攻其所必救○李筌曰害其所急彼必釋我而自固也魏人寇趙邯鄲乞師於齊齊將田忌欲救趙孫臏曰夫解紛者不控捲救鬬者不搏撠批亢擣虛形格勢禁則自解爾今二國相持輕銳竭於外疲老殆於内我襲其虛彼必解圍而奔命所謂一舉存趙而弊魏也後魏果釋趙而奔大梁遭齊人於馬陵魏師敗績○杜牧曰曹公攻河北師次頓丘黑山賊于毒等攻武陽曹公乃引兵西入山攻毒本屯毒聞之棄武陽還曹公要擊於内大破之也○陳皥曰子胥疲楚師孫臏走魏將之類也○杜佑曰致其所必走攻其所必救能守其險害之要路敵不得自至故王子曰一猫當穴萬鼠不敢出一虎當溪萬鹿不敢過○梅堯臣曰敵不得來當制之以害○王晳曰以害形之敵患之而不至○張預曰所以能令敵人必不得至者害其所顧愛耳孫臏直走大梁而解邯鄲之圍是也

故敵佚能勞之曹操曰以事煩之○李筌曰攻其不意使敵疲於奔命○杜牧曰高熲言平陳之策於隋祖曰江北寒田收差晚江南土熱水田早熟量彼收穫之際徵

兵上馬聲言掩襲彼必屯兵禦守足得廢其農時彼既聚兵我便解甲於是陳人始病○梅堯臣曰撓之使不得休息○王晳曰巧致之也○何氏曰春秋時吳王闔閭問於伍員曰伐楚何如對曰楚執政衆莫適任患若爲三師以肄焉一師至彼必皆出彼出則歸彼歸則出彼必道弊亟肄以疲之多方以誤之既罷而後以三軍繼之必大克之闔閭從之楚於是乎始病吳遂入郢○張預曰爲多方以誤之之術使其不得休息或曰彼若先處戰地以待我則是彼佚也我不可趨而與之戰我既不往彼必自來即是變佚爲勞也

飽能饑之曹操曰絶糧道以饑之○李筌曰焚其積聚芟其禾苗絶其糧道○杜牧曰我爲主敵爲客則可以絶糧道而饑之如我爲客敵爲主則如之何答曰饑敵之術非止絶糧道但能饑之則是隋高熲平陳之策曰江南土薄舍多茅竹有蓄積皆非地窖密遣人因風縱火待敵修立更復燒之不出數年自可財力俱盡遂行其策由是陳人益困三國時諸葛誕文欽據壽春及招吳請援司馬景王討之謂諸將曰彼當突圍決一朝之命或謂大軍不能久省食減口冀有他變料賊之情不出此二者當多方以亂之因命合

園遺羸疾寄穀淮北虜軍士五人三升誕欲聞之果喜景王愈羸形以示之誕等益寬恣食俄而城中糧盡攻而拔之隋末宇文化及率兵攻李密於黎陽密知化及糧少因僞和之以弊其衆化及大喜恣其兵食冀密饋之其後食盡其將王智略張童仁等率所部兵歸於密前後相繼化及以此遂敗○陳皥曰饑敵之術在臨事應機○梅堯臣曰要其糧使不得饋○王晳曰謂敵人足食我能使之饑乏耳曹公曰絶其糧道晳謂火積亦是也○何氏曰如吳楚反周亞夫曰楚兵剽輕難與爭鋒願以梁委之絶其食道乃可制也亞夫會兵滎陽吳攻梁梁急請救亞夫引兵東北走昌邑深壁而守使輕騎弓高侯等絶吳楚兵後食道兵乏糧饑欲退數挑戰終不出乃引兵去精兵追擊大破之王莽末天下亂光武兄伯升起兵討莽爲莽將甄阜梁丘賜所敗復收會兵衆還保於棘陽阜賜乘勝留輜重於藍鄉引精兵十餘萬人南渡横臨泚水阻兩山間爲營絶後橋示無還心伯升於是大饗軍士設盟約休卒三日爲六部潛師夜起襲取藍鄉盡獲其輜重明晨自南攻甄阜下江兵自東南攻梁丘賜乏食陳潰遂斬阜賜唐輔公祏遣其僞將馮惠亮陳當世領水軍屯于博望山陳

正遏河間王孝恭徐紹宗率步騎軍于青州山河間王孝恭至堅壁不與鬬使奇兵斷其糧道賊漸餒夜薄我營孝恭安卧不動明日縱羸兵以攻賊壘使盧祖尚率精騎列陳以待之俄而攻壘者敗走出追奔數里遇祖尚軍與戰大敗之正通棄營而走○張預曰我先舉兵則我爲客彼爲主爲客則食不足爲主則飽有餘若奪其畜積掠其田野因糧於彼館穀於敵則我反飽彼反饑矣則是變客爲主也不必焚其積聚廢其農時然後能饑敵矣或彼爲客則絶其糧道廣武君欲請奇兵以遮絶韓信軍後是也

安能動之

曹操曰攻其所必愛出其所必趨則使敵不得不相救也○李筌曰出其所必趨擊其所不意攻其所不愛使不得不救也○杜牧曰司馬宣王攻公孫文懿於遼東阻遼水以拒魏軍宣王曰賊堅營高壘以老我師攻之正入其計古人云敵雖高壘不得不與我戰者攻其所必救我今直指襄平則人懷内懼懼而求戰破之必矣遂整陳而過賊見兵出其後果來邀之乃縱擊大破之竟平遼東○陳皥曰左傳楚伐宋宋告急於晉晉先軫曰我執曹君而分曹衛之田以賜宋人楚愛曹衛必不許也喜賂怒頑能無戰乎遂破楚師○

孟氏註同曹操○梅堯臣曰趨其所顧使不得止○王晳同李筌註○何氏曰攻其所愛豈能安視而不動哉○張預曰彼方安守以爲自固之術不欲速戰則當攻其所必救使之不得已而須出吏騎堅壁秦伯挑其裨將遂皆出戰是也

出其所不趨趨其所不意曹操曰使敵不得相往而救之也○何氏曰令敵人須應我

行千里而不勞者行於無人之地也曹操曰出空擊虛避其所守擊其不意○李筌曰出敵無備從孤擊虛何人之有○杜牧曰梁元帝時西蜀稱帝率兵東下將攻元帝西魏大將周文帝曰平蜀制梁在茲一舉諸將多有異同文帝謂將軍尉遲迥曰伐蜀之事一以委公然計將安出迥曰蜀與中國隔絶百餘年矣恃其山川險阻不虞我師之至宜以精甲銳騎星夜奔襲之平路則倍道兼行險途則緩兵漸進出其不意衝其腹心必向風不守竟以平蜀言不勞者空虛之地無敵人之虞行止在我故不勞也○陳皥曰夫言空虛者非止爲敵人不備也但備之不嚴守之不固將弱兵亂糧少勢孤我整軍臨之彼必望風自

潰是我不勞苦如行無人之地○梅堯臣曰出所不意○何氏曰曹公北征烏桓謀臣郭嘉曰兵貴神速今千里襲人輜重多難以趨利且彼聞之得以爲備不如留輜重輕兵兼道以出掩其不意公乃密出盧龍塞直指單于庭虜卒聞公至惶怖合戰大破之斬蹋頓及名王已下又唐吐谷渾寇邊以李靖爲西海道行軍大總管輕途二千里行空虛之地平吐谷渾而還故太宗曰且李靖三千輕騎深入虜庭克復定襄古今未有也○張預曰掩其空虛攻其無備雖千里之征人不疲勞若鄧艾伐蜀由陰平之徑行無人之地七百餘里是也

攻而必取者攻其所不守也李筌曰無虞易取○杜牧曰警其東擊其西誘其前襲其後後漢張步都劇使弟藍守西安又令別將守臨淄去臨淄四十里耿弇引軍營其間弇視西安城小而堅藍兵又精臨淄名雖大其實易攻弇令軍吏治攻具後五日攻西安縱生口令歸藍聞之晨夜守城至期夜半弇勒諸將蓐食及明至臨淄城下護軍荀梁等爭之以爲宜速攻西安弇曰西安聞吾欲攻日夜爲備臨淄出其不意至必驚擾吾攻之一日必拔拔臨淄即西安勢孤所謂擊一得

兩晝如其策後漢末朱儁擊黃巾賊帥韓忠於宛儁作長圍起土山以臨其城內因鳴鼓攻其西南賊悉衆赴之儁自將精兵五千掩其東北乘城而入忠乃退保小城惶懼乞降○陳皥曰國家征上黨王宰知劉稹恃天井之險不爲固守之計宰悉力攻奪而後守稹失其險終陷其巢穴也○梅堯臣曰言擊其南實攻其北○王晳曰攻其虛也謂將不能兵不精壘不堅備不嚴救不及食不足心不一爾○張預曰善攻者動於九天之上使敵人莫之能備莫之能備則吾之所攻者乃敵之所不守也耿弇之克臨淄朱儁之討黃巾但其一端耳

守而必固者守其所不攻也 杜牧曰不攻尚守何況其所攻乎漢太尉周亞夫擊七國於昌邑也賊奔壁東南陬亞夫使備其西北俄而賊精卒攻西北不得入因遁走追破之○陳皥曰無慮敵不攻慮我不守無所不攻無所不守乃用兵之計備也○梅堯臣曰賊擊我西亦備乎東○王晳曰守以實也謂將能兵精壘堅備嚴救及食足心一爾○張預曰善守者藏於九地之下使敵人莫之能測莫之能測則吾之所守者乃敵之所不攻也周亞夫擊東南而備西北亦是其一端也

故善攻者敵不知其所守善守者敵不知其所攻 曹操曰情不泄也○李筌曰善攻者器械多也東魏高歡攻鄴是也善守謹備也周韋孝寬守晉州是也○杜牧曰攻取備禦之情不泄也○賈林曰教令行人心附備守堅固微隱無形敵人猶豫智無所措也○梅堯臣曰善攻者機密不泄善守者周備不隙○王晳曰善攻者待敵有可勝之隙速而攻之則使其不能守也善守者常爲不可勝則使其不能攻也云不知者攻守之計不知所出耳○何氏曰言攻守之謀令不可測○張預曰夫守則不足攻則有餘所謂不足者非力弱也蓋示敵以不足則敵必來攻此是敵不知其所攻也所謂有餘者非力彊也蓋示敵以有餘則敵必自守此是敵不知其所守也情不外泄積乎攻守者也

微乎微乎至於無形神乎神乎至於無聲故能爲敵之司命 李筌曰言二遁用兵之奇正攻守微妙不可形於言說也微妙神乎敵之死生懸形於我故曰

司命○杜牧曰微者靜也神者動也靜者守動者攻敵之死生悉懸於我故如天之司命○杜佑曰言其微妙所不可見也言變化之形倏忽若神故能料敵死生若天之司命也○梅堯臣曰無形則微密不可得而窺無聲則神速不可得而知○王晳曰微密則難窺神速則難應故能制敵之命○何氏曰武論虛實之法至於神微而後見成功之極也吾之實使敵視之爲虛吾之虛使敵視之爲實敵之實吾能使之爲虛敵之虛吾能知其非實蓋敵不識吾虛實而吾能審敵之虛實也吾欲攻敵也知彼所守者爲實而所不守者爲虛吾將避其堅而攻其脆批其亢而擣其虛敵欲攻我也知彼所攻者爲不急而所不攻者爲要吾將示敵之虛而鬭吾之實彼示形在東而吾設備於西是故吾之攻也彼不知其所當守吾之守也敵不料其所當攻攻守之變出於虛實之法或藏九地之下以喻吾之守或動九天之上以比吾之攻滅跡而不可見韜聲而不可聞若從地出天下倏出間入星耀鬼行入乎無間之域旋乎九泉之淵微之微者神之神者至於天下之明目不能窺其形之微天下之聦耳不能聽其聲之神有形者至於無形有聲者至於無聲非無形也敵人不能窺也

非無聲也敵人不能聽也虛實之變極也善學兵者通於虛實之變遂可以入於神微之奥不善者案迹尋微窮神而泥其用兵之跡不能泯其形聲而至於聞見者是不知神微之妙固在虛實之變也三軍之衆百萬之師安得無形與聲哉但敵人不能窺聽耳○張預曰攻守之術微妙神密至於無形之可覩無聲之可聞故敵人死生之命皆主於我也

進而不可禦者衝其虛也退而不可追者速而不可及也

曹操曰卒往進攻其虛懈退又疾也○李筌曰進者襲空虛懈怠退者必輜重在先行遠而大軍始退是以不可追後趙王石勒兵在葛陂苦雨欲班師于鄴懼晉人躡其後用張賓計令輜重先行遠而不可及也此筌以速字爲遠者也○杜牧曰既攻其虛敵必敗敗喪之後安能追我我故得以疾退也○陳皞曰杜説非也曹公之圍張繡也城未拔力未屈而去之繡兵出襲其後賈詡止之繡不聽果被曹公所敗繡謂詡曰公既能知其敗必能知其勝詡曰復以敗卒襲之繡從之曹公果敗豈是敗喪之後不能追之哉蓋言乘虛而進敵不知所備遂利

而退敵不知所追也○杜佑曰衝突其虛空也○梅堯臣曰進乘其虛則莫我禦退因其弊則莫我追○何氏曰兵進則衝虛兵退則利速我能制敵而敵不能制我也○張預曰對壘相持之際見彼之虛隙則急進而擣之敵豈能禦我也獲利而退則速還壁以自守敵豈能追我也兵之情主速風來電往敵不能制

故我欲戰敵雖高壘深溝不得不與我戰者攻其所必救也

曹操李筌曰絕其糧道守其歸路攻其君主也○杜牧曰我為主敵為客則絕其糧食守其歸路若我為客敵為主則攻其君主司馬宣王攻遼東直指襄平是也○梅堯臣曰攻其要害○王晳曰曹公曰絕糧道守歸路攻君主也晳謂敵若堅守但能攻其所必救則與我戰矣若耿弇欲攻巨里以致費邑亦是也○何氏曰如魏將司馬宣王征公孫文懿汎舟潛濟遼水作長圍忽棄賊而向襄平諸將言不攻賊而作長圍非所以示眾也宣王曰賊堅營高壘欲以老吾兵也古人言曰敵雖高壘不得不與我戰者攻其所必救也賊大衆在此則窟穴虛矣我直指襄平必人懷內懼懼

而求戰破之必矣遂整陳而過賊見兵出其後果邀之宣王謂諸將曰所以不攻其營正欲致此不可失也乃縱兵逆擊大破之三戰皆捷唐馬燧討田悅時軍糧少悅深壁不戰燧令諸軍持十日糧進次倉口與悅夾洹水而軍李抱真李芃問曰糧少而深入何也燧曰糧少利速戰兵法善於致人不致於人今田悅與淄青兗三軍為首尾計欲不戰以老我師若分兵擊其左右兵少未可必破悅且來救是前後受敵也兵法所謂攻其必救彼固當戰也燧為諸軍合而破之燧乃造三橋道逾洹水日挑戰悅不敢出恒州兵以軍少懼為燧所并引軍合於悅悅與燧明日復挑戰乃伏兵萬人欲邀燧燧乃引諸軍半夜皆食先雞鳴時擊鼓吹角潛師傍洹水徑赴魏州令曰聞賊至則止為陳又令百騎吹鼓角皆留於後仍抱薪持火待軍畢發止鼓角匿其旁伺悅軍畢渡焚其橋軍行十數里乃率淄青兗州步騎四萬餘人踰橋掩其後乘風縱火鼓譟而進燧乃坐甲令無動命前除草斬荊棘廣百步以為陳募勇力得五千餘人分為前列以俟賊至比悅軍至則火止氣乏力少衰乃縱兵擊之悅軍大敗悅走橋橋已焚矣悅軍亂赴水斬首二萬淄青軍殆盡○張預曰我為客彼為

主我兵彊而食少彼勢弱而糧多則利在必戰敵人雖有金城湯池之固不得守其險而必來與我戰者在攻其所顧愛使之相救援也若楚人圍宋晉將救之狐偃曰楚始得曹而新婚於衛若伐曹衛楚必救之則宋免矣從之而解又晉宣帝討公孫文懿忽棄賊而走襄平討其巢穴賊果出邀之遂逆擊三戰皆捷亦其義也

我不欲戰畫地而守之 曹操曰軍不欲煩也○李筌曰拒境自守也若入敵境則用天一遁甲眞人閉六戊之法以刀畫地爲營也○孟氏曰以物畫地而守喻其易也蓋我能戾敵人之心不敢至也

敵不得與我戰者乖其所之也 曹操曰乖戾也戾其道示以利害使敵疑也○李筌曰乖異也設奇異而疑之是以敵不可得與我戰漢上谷太守李廣縱馬卸安疑也○杜牧曰言敵來攻我我不與戰設權變以疑之使敵人疑惑不決與初來之心乖戾不敢與我戰也曹公爭漢中地蜀先主拒之時將趙雲守別屯將數十騎輕出卒遇大軍雲且鬬且却公軍追至圍雲入營史大開門偃旗息鼓曹公軍疑有伏引去諸葛武侯屯於陽平使魏延諸將并兵東下武侯惟留萬人守城候白司馬宣王曰亮在城中兵少力弱將士失色亮時意氣自若勑軍中悉卧旗息鼓不得輒出開四門掃地却灑宣王疑有伏於是引去趨北山亮謂參佐曰司馬懿謂吾有設伏循山走矣宣王後知頗以爲恨曹公與呂布相持公軍出收麥布領衆卒至公營止有千人出陳半隱於堤下呂布遲疑不敢進曰曹操多詐勿入伏中遂引兵去○陳皥曰左傳楚令尹子元伐鄭入自純門至于逵市懸門不發子元曰鄭有人焉乃還○賈林曰置疑兵於敵惡之所屯營於形勝之地雖未修壘塹敵人不敢來攻我也○梅堯臣曰畫地喻易也乖其道而示以利使其疑而不敢進也○王晳曰畫地言易且明制之必有道也○張預曰我爲主彼爲客我糧多而卒寡彼食少而兵衆則利在不戰雖不爲營壘之固敵必不敢來與我戰者示以疑形乖其所往也若楚人伐鄭鄭懸門不發効楚言而出楚師不敢進而遁又司馬懿欲攻諸葛亮亮偃旗卧鼓開門却灑懿疑有伏兵遂引而去亦其義也

故形人而我無形則我專而敵分 杜佑曰我專一而敵分散○梅堯臣曰他人有

入而[illegible]無[illegible]同[illegible]事而[illegible]

[illegible]

形我形不見故敵分兵以備我○張預曰吾之正使敵視以爲奇吾之奇使敵視以爲正形人者也以奇爲正以正爲奇變化紛紜使敵

莫測無形者也敵形既見我乃合衆以臨之我形不彰彼必分勢以防備**我專爲一敵分爲十**

是以十攻其一也杜佑曰我料見敵形審其虛實故所備者少專爲一也以我之專擊彼之散卒爲十

共擊一也○梅堯臣曰離一爲十我常以十分擊一分**則我衆而敵寡**杜佑曰我專爲一故衆敵分爲

十故寡○張預曰見敵虛實不勞多備故專爲一屯彼則不然不見我形故分爲十處是以我之十分擊敵之一分也故我不得不衆敵

不得不寡**能以衆擊寡者則吾之所與戰者約矣**杜牧

曰約猶少也我深溝高壘滅跡韜聲出入無形攻取莫測或以輕兵健馬衝其空虛或以彊弩長弓奪其要害觸左履右突後驚前晝日

誤之以旌旗暮夜惑之以火鼓故敵人畏懾分兵防虞譬如登山瞰城垂簾視外敵人分張之勢我則盡知我之攻守之方敵則不測故

我能專一敵則分離專一者力全分離者力寡以全擊寡故能必勝也○杜佑曰言約少而易勝○梅堯臣曰以專擊分則我所敵少也

○王晳曰多爲之形使敵備已其實攻者則無形也故我專敵分矣專則衆分則寡十攻一者大約言耳○何氏同杜牧註○張預曰夫

勢聚則彊兵散則弱以衆彊之勢擊寡弱之兵則衆力少而成功多矣**吾所與戰之地不可**

知杜佑曰言舉動微密情不可見使彼知所出而不知吾所舉知所舉而不知吾所集○張預曰無形勢故也**不可**

知則敵所備者多梅堯臣曰敵不知則處處爲備**敵所備者多則**

吾所與戰者寡矣曹操曰形藏敵疑則分離其衆備我也言少而易擊也○王晳曰與敵必戰之

地不可使敵知之知則并力得拒於我曹公曰形藏則敵疑○張預曰不能測吾車果何出騎果何來徒果何從故分離其衆所在輒爲

備遂致衆散而弱勢分而衰是以吾所與接戰之處以大衆臨孤軍也**故備前則後寡備後**

則前寡備左則右寡備右則左寡無所不備則無所不寡杜佑曰言敵之所備者多則士卒無不分散而少○梅堯臣曰所備皆寡也

寡者備人者也衆者使人備己者也曹操曰上所謂形藏敵疑則分離其衆以備我也○李筌曰陳兵之地不可令敵人知之彼疑則謂衆離而備我也○杜牧曰所戰之地不可令敵人知之我形不泄則左右前後遠近險易敵人不知亦不知我何處來攻何地會戰故分兵徹衛處處防備形藏者衆分多者寡故衆者必勝也寡者必敗也○孟氏曰備人則我散備我則彼分○杜佑曰敵分散而少者皆先備人也敵所以備己多者由我專而衆故也○梅堯臣曰使敵愈備則愈寡也○王晳曰左右前後俱備則俱寡○何氏同諸註○張預曰左右前後無處不爲備則無處不兵寡也所以寡者爲兵分而廣備於人也所以衆者爲勢專而使人備己也

故知戰之地知戰之日則可千里而會戰曹操曰以度量知空虛會戰之日○李筌曰知戰之地則舟車步騎之所便也魏武以北土未安捨鞍馬仗舟楫與吳越爭彊是以有黃蓋之敗吳王濞驅吳楚之衆奔馳於梁鄭之間此不知戰地日者故太一遁甲曰計法三門五將主客成敗則可知也於是千里會戰而勝○杜牧曰宋武帝使朱齡石伐譙縱於蜀宋武曰往年劉敬宣出內水向黃武無功而退賊謂我今應從外水來而料我當出其不意猶從內水來也如此必以重兵守涪城以備內道若向黃武正墮其計今以大衆自外取成都疑兵向內水此則制敵之奇也而慮此聲先馳賊知虛實別有函書全封付齡石函邊書曰至白帝乃開諸軍未知處分所由至白帝發書曰衆軍悉從外水取成都臧熹朱林於中水取廣漢使羸弱乘高艦十餘由內水向黃武譙縱果以重兵備內水齡石滅之○陳皞曰杜註止言知戰之地未敘知戰之日我若伐敵至期不得與我戰敵來侵我我必預備以應之項羽謂曹咎曰我十五日必定梁地復與將軍會苟不知必戰之日安能爲約○孟氏曰以度量知空虛先知戰地之形又審必戰之日則可千里期會先往以待之若敵已先至可不往以勞之

[illegible]

而會其[illegible]

[illegible]

故[illegible]之地[illegible]日[illegible]

[illegible]

備人者也[illegible]

則與[illegible]不[illegible]

則前[illegible]

○杜佑曰夫善戰者必知戰之日知戰之地度道設期分軍雜卒遠者先進近者後發千里之會同時而合若會都市其會地之日無令敵知知之則所備處少不知則所備處多備寡則專備多則分分則力散專則力全○梅堯臣曰若能度必戰之地必戰之日雖千里之遠可剋期而與戰○王晳曰必先知地利敵情然後以兵法之度量計其遠近知其空虛審敵趣應之所及戰期也如是則雖千里可會戰而破敵矣故曹公曰以度量知虛空會戰之日者是也○張預曰凡舉兵伐敵所戰之地必先知之師至之日能使敵人如期而來以與我戰知戰地日則所備者專所守者固雖千里之遠可以赴戰若蹇叔知晉人禦師必於殽是知戰地也陳湯料烏孫圍兵五日必解是知戰日也又若孫臏龐涓於馬陵度日暮必至是也

不知戰地不知戰日則左不能救右右不能救左前不能救後後不能救前而況遠者數十里近者數里乎

杜牧曰管子曰計未定而出兵則戰而自毀也○杜佑曰敵已先據形勢之地已方趨利欲戰則左右前後疑惑進退不能相救況十數里之間也○梅堯臣曰不能救者寡也左右前後尚不能救況遠乎○張預曰不知敵人何地會兵何日接戰則所備者不專所守者不固忽遇勍敵則倉遽而與之戰左右前後猶不能相援又況首尾相去之遠乎

以吾度之越人之兵雖多亦奚益於勝敗哉

曹操曰越人相聚紛然無知也或曰吳越讎國也○李筌曰越過也不知戰地及戰日兵雖過人安能知其勝敗乎○陳皞曰孫子爲吳王闔閭論兵吳與越讎故言越謂過人之兵非義也○賈林曰不知戰地不知戰日士衆雖多不能制勝敗之政亦何益也○梅堯臣曰吳越敵國也言越人雖多亦當爲我分之而寡也○王晳曰此武相時料敵也言越兵雖多苟不善相救亦無益於勝敗之數○張預曰吾字作吳字之誤也吳越鄰國數相侵伐故下文云吳人與越人相惡也言越國之兵雖曰衆多但不知戰地戰日當分其勢而弱也

故曰勝可爲也

杜牧曰爲勝在我故言可爲也

[illegible]

不能[illegible]以[illegible]不以[illegible]之[illegible]不能[illegible]

[illegible]不[illegible]不知[illegible]不[illegible]以[illegible]自用者

[illegible]

○孟氏曰若使敵不知戰地期日我之必勝可常有也○梅堯臣同杜牧註○王晳何氏同孟氏註○張預曰爲勝在我故也形篇云勝可知而不可爲今言勝可爲者何也蓋形篇論攻守之勢言敵若有備則不可必爲也今則主以越兵而言度越人必不能知所戰之地日故云可爲也**敵雖衆可使無鬬**杜牧曰以下四事度量之敵兵雖衆使其不能與我鬬勝也○孟氏曰敵雖多兵我能多設變詐分其形勢使不能併力也○賈林曰敵雖衆多不知己之兵情常使急自備不暇謀鬬○梅堯臣曰苟能寡何有鬬○王晳曰多益不殺奚所恃而鬬○張預曰分散其勢不得齊力同進則焉能與我爭**故策之而知得失之計**李筌曰用兵者取勝之兵法可制太一遁甲五將之計以定關格掩迫之數得失可知也○孟氏曰策度敵情觀其施爲則計數可知○賈林曰樽俎帷幄之間以策籌之我得彼失之計皆先知也○杜佑曰策度敵情觀其所施計數可知○梅堯臣曰彼得失之計我以籌策而知○王晳曰策其敵情以見得失之數○張預曰籌策敵情知其計之得失若薛公料黥布之三計是也**作之而知動靜之理**李筌曰候望雲氣風鳥人情則動靜可知也王莽時王尋征昆陽有雲氣如壞山當營而隊去地數丈而光武知其必敗梁王僧辯營上有如堤之氣侯景知其必勝風鳥貪狩之類也此筌以作字爲候字者也○杜牧曰作激作也言激作敵人使其應我然後觀其動靜理亂之形也魏武侯曰兩軍相當不知其將如何吳起曰令賤勇者將銳而擊交合而北北而勿罰觀敵進退一坐一起其政以理奔北不追見利不取此將有謀若其悉衆追北旗幡雜亂行止縱橫貪利務得若此之類將令不行擊而勿疑○陳皥曰作爲也爲之利害使敵赴之則知進退之理也○賈林曰善覘候者必知其動靜之理○杜佑曰喜怒動作察其舉止則情理可得故知動靜權變爲其勝負也○梅堯臣曰彼動靜之理因我所發而見○王晳曰候其理當動以否○張預曰發作久之觀其喜怒則動靜之理可得而知也若晉文公拘宛春以怒楚將子玉子玉遂乘晉軍是其躁動也諸葛亮遺巾幗婦人之飾以怒司馬宣王宣王終不出戰此是其安靜也**形之而知死生之地**李筌曰夫

破陳設奇或偃旗鼓形之以弱或虛列竈火旛幟形之以彊投之以死致之以生是以死生因地而成也韓信下井陘劉裕過大峴則其義也○杜牧曰死生之地蓋戰地也投之死地必生置之生地必死言我多方誤撓敵人以觀其應我之形然後隨而制之則死生之地可知也○陳皥曰敵人既有動靜則我得見其形有謀者所處之地必生無謀者所投之地必死也○孟氏曰形相敵情觀其所據則地形勢生死可得而知○賈林曰見所理兵形則可知其死所○梅堯臣曰彼生死之地我因形見而識○何氏同杜牧註○張預曰形之以弱則彼必進形之以彊則彼必退因其進退之際則知彼所據之地死與生也上文云善動敵者形之敵必從之是也死地謂傾覆之地生地謂便利之地

角之而知有餘不足之處

曹操曰角量也○李筌曰角量也量其力精勇則虛實可知也○杜牧曰角量也言以我之有餘角量敵人之有餘以我之不足角量敵人之不足管子曰善攻者料衆以攻衆料食以攻食食不存不攻備不存不攻司馬宣王伐遼東司馬陳珪曰昔攻上庸八部並進晝夜不息故能一旬之半拔堅城斬孟達

今者遠來而更安緩愚切惑焉王曰孟達衆少而食支一年吾將四倍於達而糧不淹一月以一月圖一年安可不速以四擊一正命半解猶當爲之是以不計死傷與糧競也今賊衆我寡賊飢我飽雨水乃爾功力不設賊糧垂盡當示無能以安之旣而雨止晝夜攻之竟平遼東○梅堯臣曰彼有餘不足之處我以角量而審○王晳曰角謂相角也角彼我之力則知有餘不足之處然後可以謀攻守之利也此而上亦所以量敵知戰○張預曰有餘彊也不足弱也角量敵形知彼彊弱之所唐太宗曰凡臨陳常以吾彊對敵弱常以吾弱對敵彊苟非角量安得知之

故形兵之極至於無形無形則深間不能窺智者不能謀

李筌曰形敵之妙入於無形間不可窺智不可謀是謂形也○杜牧曰此言用兵之道至於臻極不過於無形無形則雖有間者深來窺我不能知我之虛實彊弱不泄於外雖有智能之士亦不能謀我也○梅堯臣曰兵本有形虛實不露是以無形此極致也雖使間者以情釣智者以謀料可得乎○王晳曰制兵形於無形是謂極致孰能窺而

謀之哉○何氏曰行列在外機變在内因形制變人難窺測可謂神微○張預曰始以虛實形敵敵不能測故其極致卒歸於無形既無形可覩無迹可求則間者不能窺其隙智者無以運其計

因形而錯勝於衆衆不能知

曹操曰因敵形而立勝○李筌曰錯置也設形險之勢因士卒之勇而取勝焉軍事尚密非衆人之所知也○杜牧曰窺形可置勝敗非智者不能固非衆人所能得知也○梅堯臣曰衆知我能置勝矣不知因敵之形○何氏曰因敵置勝衆不能知○張預曰因敵變動之形以置勝非衆人所能知

人皆知我所以勝之形而莫知吾所以制勝之形

曹操曰不以一形之勝萬形或曰不備知也制勝者人皆知吾所以勝莫知吾因敵形制勝也○李筌曰戰勝人知之制勝之法幽密人莫知○杜牧曰言已勝之後但知我制敵人使有敗形本自於我然後我能勝之也上文云近而示之遠遠而示之近利而誘之亂而取之實而備之彊而避之怒而撓之卑而驕之佚而勞之親而離之斯皆制勝之道人莫知之也○陳皥曰人但知我勝敵之善不能知我因敵之敗形○梅堯臣曰知得勝之跡而不知作勝之象○王晳曰若韓信背水拔幟是也人但見水上軍殊死戰不可敗及趙軍驚亂遁走不知吾能制使之然者以何道也○張預曰立勝之迹人皆知之但莫測吾因敵形而制此勝也

故其戰勝不復而應形於無窮

曹操曰不重復動而應之也○李筌曰不復前謀以取勝隨宜制變也○杜牧曰敵每有形我則始能隨而應之以取勝○杜佑曰死官也○賈林曰應敵形而制勝乃無窮○梅堯臣曰不執故態應形有機○王晳曰夫制勝之理惟一而所勝之形無窮也○何氏曰已勝之分不再用也敵來斯應不循前法故不窮○張預曰已勝之後不復更用前謀但隨敵之形而應之出奇無窮也

夫兵形象水

孟氏曰兵之形勢如水流遲速之勢無常也

水之形避高而趨下

梅堯臣曰性也

兵之形避實而擊虛

梅堯臣曰利也○張預曰水趨下則順兵擊虛則利

水因地

而制流杜牧曰因地之下○梅堯臣曰順高下也○張預曰方圓斜直因地而成形兵因敵而
制勝李筌曰不因敵之勢吾何以制哉夫輕兵不能持久守之必敗重兵挑之必出怒兵辱之彊兵緩之將驕宜卑之將貪宜
利之將疑宜反間之故因敵而制勝○杜牧曰因敵之虛也○賈林曰見敵盛衰之形我得因而立勝○杜佑曰言水因地之傾側而制
其流兵因敵之虧闕而取其勝者也○梅堯臣曰隨虛實也○王晳曰謂隄防疏導之也○何氏曰因敵彊弱而成功○張預曰虛實彊
弱隨敵而取勝故兵無常勢梅堯臣曰應敵爲勢○張預曰敵有變動故無常勢水無常
形梅堯臣曰因地爲形○孟氏曰兵有變化地有方圓○張預曰地有高下故無常形能因敵變化
而取勝者謂之神曹操曰勢盛必衰形露必敗故能因敵變化取勝若神○李筌曰能知此道謂
之神兵也○杜牧曰兵之勢因敵乃見勢不在我故無常勢如水之形因地乃有形不在水故無常形水因地之下則可漂石兵因敵之
應則可變化如神者也○梅堯臣曰隨而變化微不可測○王晳曰兵有常理而無常勢水有常性而無常形兵有常理者擊虛是也無
常勢者因敵以應之也水有常性者就下是也無常形者因地以制之也夫兵勢有變則雖敗卒尚復可使擊勝兵況精銳乎○何氏曰
行權應變在智略智略不可測則神妙者也○張預曰兵勢已定能因敵變動應而勝之其妙如神故五行無
常勝杜佑曰五行更王○王晳曰迭相克也四時無常位杜佑曰四時迭用○王晳曰迭相代
也日有短長月有死生曹操曰兵無常勢盈縮隨敵○李筌曰五行者休囚王相遞相勝也
四時者寒暑往來無常定也日月者周天三百六十五度四分度之一百刻者春秋二分則日夜均夏至之日晝六十刻夜四十刻冬至
之日晝四十刻夜六十刻長短不均也月初爲朔八日爲上弦十五日爲望二十四日爲下弦三十日爲晦則死生義也孫子以爲五行
四時日月盈縮無常況於兵之形變安常定也○梅堯臣曰皆所以象兵之隨敵也○王晳曰皆喻兵之變化非一道也○張預曰言五

[illegible]五行無常勝[illegible]

[illegible]能因敵變化而取勝者謂之神[illegible]

[illegible]故兵無常勢[illegible]水無常形[illegible]

[illegible]水因地而制流[illegible]兵因敵而制勝[illegible]

行之休王四時之代謝日月之盈昃皆如兵勢之無定也

軍爭篇

曹操曰兩軍爭勝○李筌曰爭者趨利也虛實定乃可與人爭利○王晳曰爭者爭利得利則勝宜先審輕重計迂直不可使敵乘我勞也○張預曰以軍爭爲名者謂兩軍相對而爭利也先知彼我之虛實然後能與人爭勝故次虛實

孫子曰凡用兵之法將受命於君 李筌曰受君命也遵廟勝之筭恭行天罰○張預曰受君命伐叛逆

合軍聚衆 曹操曰聚國人結行伍選部曲起營爲軍陳○梅堯臣曰聚國之衆合以爲軍○王晳曰大國三軍摠三萬七千五百人若悉舉其賦則摠七萬五千人此所謂合軍聚衆○張預曰合國人以爲軍聚兵衆以爲陳

交和而舍 曹操曰軍門爲和門左右門爲旗門以車爲營曰轅門以人爲營曰人門兩軍相對爲交和○李筌曰交間和雜也合軍之後彊弱勇怯長短向背間雜而仵之力相兼後合諸營壘與敵爭之○杜牧曰周禮以旌爲左右和門鄭司農曰軍門曰和今謂之壘門立兩旌旗表之以敍和出入明次第也交者言與敵人對壘而舍和門相交對也○賈林曰舍止也士衆交雜和合而止於軍中趨利而動○梅堯臣曰軍門爲和門兩軍交對而舍也○何氏曰和門相望將合戰爭利兵家難事也○張預曰軍門爲和門言與敵對壘而舍其門相交對也或曰與上下交相和睦然後可以出兵爲營舍故吳子曰不和於國不可以出軍不和於軍不可以出陳

莫難於軍爭 曹操曰從始受命至於交和軍爭難也○杜牧曰於爭利害難也○梅堯臣曰自受命至此爲最難○張預曰與人相對而爭利天下之至難也

軍爭之難者以迂爲直以患爲利 曹操曰示以遠速其道里先敵至也○杜牧曰言欲爭奪先以迂遠爲近以患爲利誑紿敵人使其慢易然後急趨也○陳皥曰言合軍聚衆交和而舍皆有舊制惟軍爭最難也苟不知以迂爲直以患爲利者即不能與敵爭也○

賈林曰全軍而行爭於便利之地而先據之若不得其地則輸敵之勝最其難也○杜佑曰敵途本迂患在道遠則先處形勢之地故曰以患爲利○梅堯臣曰能變迂爲近轉患爲利難也○王晳曰曹公曰示以遠速其道里先敵至晳謂示以遠者使其不虞而行或奇兵從間道出也○何氏曰謂所征之國路由山險迂曲而遠將欲爭利則當分兵出奇隨逐鄉導由直路乘其不備急擊之雖有陷險之患得利亦速也如鍾會伐蜀而鄧艾出奇先至蜀蜀無備而降故下云不得鄉導不能得地利是也○張預曰變迂曲爲近直轉患害爲便利此軍爭之難也

故迂其途而誘之以利後人發先人至此知迂直之計者也

曹操曰迂其途者示之遠也後人發先人至者明於度數先知遠近之計也○李筌曰故迂其途示不速進後人發先人至也用兵若此以患爲利者○杜牧曰上解曰以迂爲直是示敵人以迂遠敵意已怠復誘敵以利使敵心不專然後倍道兼行出其不意故能後發先至而得所爭之要害也秦伐韓軍於閼與趙王令趙奢往救之

去邯鄲三十里而令軍中曰有以軍事諫者死秦軍武安西秦軍鼓譟勒兵武安屋瓦皆震軍中候有一人言急救武安奢立斬之堅壁留二十八日不行復益增壘秦間來奢善食而遣之間以報秦秦將大喜曰夫去國三十里而軍不行乃增壘閼與非趙地也奢既遣秦間乃卷甲而趨二日一夜至令善射者去閼與五十里而軍秦人聞之悉甲而至有一卒曰先據北山者勝奢使萬人據之秦人來爭不得奢因縱擊大破之閼與遂得解○賈林曰敵途本近我能迂之者或以羸兵或以小利於他道誘之使不得以軍爭赴也○梅堯臣曰遠其途誘以利款之也後其發先其至爭之也能知此者變迂轉害之謀也○何氏曰迂途者當行之途也以分兵出奇則當行之途示以迂險設勢以誘敵令得小利縻之則出奇之兵雖後發亦先至也言爭利須料迂直之勢出奇故下云分合爲變其疾如風是也○張預曰形勢之地爭得則勝凡欲近爭便地先引兵遠去復以小利啗敵使彼不意我進又貪我利故我得以後發而先至此所謂以迂爲直以患爲利也趙奢據北山而敗秦軍郭淮屯北原而走諸葛是也能後發先至者明於度數知以迂爲直之謀者也

故軍

爭爲利軍爭爲危曹操曰善者則以利不善者則以危○李筌曰夫軍者將善則利不善則危○杜牧曰善者計度審也○賈林曰我軍先至得其便利之地則爲利彼敵先據其地我三軍之衆馳往爭之則敵佚我勞危之道也○梅堯臣曰軍爭之事有利也有危也○又一本作軍爭爲利衆爭爲危○何氏曰此又言出軍行師驅三軍之衆與敵人相角逐以爭一日之勝得之則爲利失之則爲危不可輕舉○張預曰智者爭之則爲利庸人爭之則爲危明者知迂直愚者昧之故也

舉軍而爭利則不及曹操曰遲不及也○李筌曰輜重行遲○賈林曰行軍用師必趨其利遠近之勢直以舉軍往爭其利難以速至可以潛設奇計迂敵途程敵不識我謀則我先而敵後也○杜佑曰遲不及也舉軍悉行爭赴其利則道路悉不相逮○梅堯臣曰舉軍中所有而行則遲緩○王晳曰以輜重故○張預曰竭軍而前則行緩而不能及利

委軍而爭利則輜重捐曹操曰置輜重則恐捐棄也○李筌曰委棄輜重則軍資闕也○杜牧曰舉一軍之物行

則重滯遲緩不及於利委棄輜重輕兵前追則恐輜重因此棄捐也○賈林曰恐敵知而絕我後糧也○杜佑曰委置庫藏輕師而行若敵乘虛而來抄絕其後則已輜重皆悉棄捐○梅堯臣曰委軍中所有而行則輜重棄○王晳同曹操註○何氏同杜佑註○張預曰委置重滯輕兵獨進則恐輜重爲敵所掠故棄捐也

是故卷甲而趨日夜不處曹操曰不得休息罷也

倍道兼行百里而爭利則擒三將軍杜佑曰若不慮上二事欲從速疾卷甲束仗潛軍夜行若敵知其情邀而擊之則三軍之將爲敵所擒也若秦伯襲鄭三帥皆獲是也

勁者先疲者後其法十一而至曹操曰百里而爭利非也三將軍皆以爲擒○李筌曰一日行一百二十里則爲倍道兼行行若如此則勁健者先到疲者後至軍健者少疲者多凡十人可一人先到餘悉在後以此遇敵何三將軍不擒哉魏武逐劉備一日一夜行三百里諸葛亮以爲彊弩之末不能穿魯縞言無力也是以有赤壁之敗龐涓追孫臏死於

[illegible]

[illegible]行百里而爭利則擒三將軍[illegible]

[illegible]者先疲者後其法十一而至[illegible]

[illegible]

馬陵亦其義也○杜牧曰此說未盡也凡軍一日行三十里爲一舍倍道兼行者再舍晝夜不息乃得百里爲一舍倍道若如此爭利衆疲倦則三將軍皆須爲敵所擒其法什一而至者不得已必須爭利凡十人中擇一人最勁者先往其餘者則令繼後而往萬人中先擇千人平旦先至其餘繼至有巳午時至者有申未時至者各得不竭其力相續而至與先往者足得聲響相接凡爭利必是爭奪要害雖千人守之亦足以拒抗敵人以待繼至者太宗以三千五百騎先據武牢竇建德十八萬衆而不能前此可知也○陳皥曰杜說別是用兵一途非什一而至之義也蓋言百里爭利勁者先疲者後十中得一而至九皆疲困一則勁者也○賈林曰路遠人疲奔馳力盡如此則我勞敵佚被擊何疑百里爭利愼勿爲也○杜佑曰百里爭利非也三將軍皆爲擒也彊弱不伏相待率十有一人至軍也罷音疲○梅堯臣曰軍日行三十里而舍今乃晝夜不休行百里故三將軍爲其擒也何則涉途既遠勁者少罷者多十中得一至耳三將軍者三軍之師也○王晳曰罷羸也此言爭利之道宜近不宜遠耳夫衝風之衰不能起毛羽彊弩之末不能穿魯縞苟日夜兼行百里趨利縱

使一分勁者能至固已困乏矣即敵人以佚擊我之勞自當不戰而敗故司馬宣王曰吾倍道兼行此曉兵者之所忌也或曰趙奢亦卷甲而趨二日一夜卒勝秦者何也曰奢久并氣積力增壘遣間示怯以驕之使秦不意其至兵又堅奢又去閼與五十里而軍比秦聞之及發兵至非二三日不能也能來是彼有五十里趨敵之勞而我固已二三日休息士卒不勝其佚且又投之險難先據高陽奇正相因曷爲不勝哉○何氏曰言三將出奇求利委軍衆輜重卷甲務速若晝夜百里不息則勁者能十至其一我勞敵佚敵衆我寡擊之未必勝也敗則三將俱擒以此見武之深戒也○張預曰卷甲猶悉甲也悉甲而進謂輕重俱行也凡軍日行三十里則止過六十里巳上爲倍道晝夜不息爲兼行言百里之遠與人爭利輕兵在前輜重在後人罷馬倦渴者不得飲飢者不得食忽遇敵則以勞對佚以飢敵飽又復首尾不相及故三軍之帥必皆爲敵所擒若晉人獲秦三帥是也輕兵之中十人得一人勁捷者先至下九人悉疲困而在後況重兵乎何以知輕重俱行下文云五十里而爭利則半至若止是輕兵則一日行五十里不爲遠也焉有半至之理是必重兵偕行也

十里而爭利則蹶上將軍其法半至曹操曰蹶猶挫也○李筌曰百里則十人一人至五十里十人五人至挫軍之威不至擒也言道近不至疲○杜牧曰半至者凡十人中擇五人勁者先往也○賈林曰上猶先也○杜佑曰蹶猶挫也前軍之將已爲敵所蹶敗○梅堯臣曰十中得五猶遠不能勝○王晳曰罷勞之患減於太半止挫敗而已○張預曰路不甚遠十中五至猶挫軍威況百里乎蹶上將謂前軍先行也或問曰唐太宗征宋金剛一日一夜行二百餘里亦能克勝者何也答曰此形同而勢異也且金剛既敗衆心已沮迫而滅之則河東立平若其緩之賊必生計此太宗所以不計疲頓而力逐也孫子所陳爭利之法蓋與此異矣

三十里而爭利則三分之二至曹操曰道近至者多故無死敗也○李筌曰近不疲也故無死亡○杜牧曰三十里內凡十人中可以六七人先往也不言其法者舉上文可知也○杜佑曰道近則至者多故不言死敗勝負未可知也古者用師日行三十里步騎相須今徒而趨利三分之二至○梅堯臣曰道近至多庶或有勝○王晳曰計彼我之勢宜須爭者或亦當然雖三分二至蓋其精銳者之力未至勞乏不可決以爲敗故不云其法也○張預曰路近不疲至者太半不失行列之政不絕人馬之力庶幾可以爭勝上三事皆謂舉軍而爭利也

是故軍無輜重則亡無糧食則亡無委積則亡曹操曰無此三者亡之道也○李筌曰無輜重者闕所供也袁紹有十萬之衆魏武用荀攸計焚燒紹輜重而敗紹於官渡無糧食者雖有金城不重於食也夫子曰足食足兵民信之矣故漢赤眉百萬衆無食而君臣面縛宜陽是以善用兵者先耕而後戰無委積者財乏闕也漢高祖無關中光武無河內魏武無兖州軍北身遁豈能復振也○杜牧曰輜重者器械及軍士衣裝委積者財貨也○陳皥曰此說委軍爭利之難也○梅堯臣曰三者不可無是不可委軍而爭利也○王晳曰委積謂薪芻蔬材之屬軍恃此三者以濟不可輕離也○張預曰無輜重則器用不供無糧食則軍餉不足無委積則財貨不充皆亡覆之道此三者謂委軍而爭利也

故不知諸侯

[illegible]

之謀者不能豫交 曹操曰不知敵情謀者不能結交也○李筌曰豫備也知敵之情必備其交矣
○杜牧曰非也豫先也交交兵也言諸侯之謀先須知之然後可交
兵合戰若不知其謀固不可與交兵也○陳皞曰曹說以爲不先知
敵人之作謀即不能預結外援二說並通○梅堯臣曰不知敵國之
謀則不能預交鄰國以爲援助也○張預曰先知諸侯之實情然後
可與結交不知其謀則恐翻覆爲患其鄰國爲援亦軍
爭之事故下文云先至而得天下之衆者爲衢地是也 不知山
林險阻沮澤之形者不能行軍 曹操曰高而崇者爲山衆樹所聚者爲林
坑塹者爲險一高一下者爲阻水草漸洳者爲沮衆水所歸而不流
者爲澤不先知軍之所據及山川之形者則不能行師也○梅堯臣
曰山林險阻之形沮澤濘淖之所必先審知○張預曰高而崇者爲
山衆木聚者爲林坑坎者爲險一高一下者爲阻水草漸洳者爲沮
衆水所歸而不流者爲澤凡此地形
悉能知之然後可與人爭利而行軍 不用鄉導者不能得
地利 李筌曰入敵境恐山川隘狹地土泥濘井泉不利使人導之以得地利易曰即鹿無虞則其義也○杜牧曰管子曰凡兵
主者必先審知地圖轘轅之險濫車之水名山通谷經川陵陸丘阜
之所在苴草林木蒲葦之所茂道里之遠近城郭之大小名邑廢邑
困殖之地必盡知之地形出入之相錯者盡藏之然後不失地利衛
公李靖曰凡是賊徒好相掩襲須擇勇敢之夫選明察之士兼使鄉
導潛歷山林密其聲晦其跡或刻爲獸足而却履於中途或上冠微
禽而幽伏於藂薄然後傾耳以遠聽竦目而深視專智以度事機注
心而視氣色觀水痕則知敵濟之早晚觀樹動則可辨來寇之驅馳
故烽火莫若謹而審旌旗莫若齊而一賞罰必重而不欺刑戮必嚴
而不捨敵之動靜而我有備也敵之機謀而我先知也○陳皞曰凡
此地利非用鄉人爲導引則不能知地利也○杜佑曰不任彼鄉人
而導軍者則不能得道路之便利也○梅堯臣曰凡丘陵原衍之向
背城邑道路之迂直非人引導不能得也○何氏曰鄉導略曰從禽
者若無山虞之官度其形勢之可否則徒入於林中終不能獲鹿矣
出征者若無彼鄉之人導其道路之迂直則雖至于境外終不能獲

寇矣夫以奉辭致討趍未歷之地聲教未通音驛所絕深入其阻不亦艱哉我孤軍以往彼密嚴而待客主之勢已相遠矣況其專任詭譎多方以誤我苟不計而直進冒危而長驅躋險則有壅決之害晝行則有暴來之鬭夜止則有虛驚之憂倉卒無備落其𣪍中是乃擁熊虎之師自投於死地又安能摩逆壘蕩狡穴乎故敵國之山川陵陸丘阜之可以設險者林木蒲葦茂草之可以隱藏者道里之遠近城郭之小大邑落之寬狹田壤之肥瘠溝渠之深淺蓄積之豐約卒乘之衆寡器械之堅脆必能盡知之則虜在目中不足擒也昔張騫嘗使大夏留匈奴中久導軍知利善水草處其軍得以無飢渴茲亦能獲其便利也凡用鄉導或軍行虜獲其人須防賊謀陰持姦計為其誘誤必在鑒其色察其情參驗數人之言始終如一乃可為準厚其須賞使之懷恩豐其室家使之係心即為吾人當無翻覆然不如素畜堪用者但能諳練行途不必土人亦可任也仍選腹心智勇之士挾而偕往則巨細必審指蹤無失矣○張預曰山川之夷險道路之迂直必用鄉人引而導之乃可知其所利而爭勝兵伐魯鄙人導之以克武城是也

故兵以詐立 杜牧曰詐敵人使不知我本情然後能立勝也○梅堯臣曰非詭道不能立事○王晳曰謂以迂為直以患為利也○何氏曰張形勢以誤敵也○張預曰以變詐為本使敵不知吾奇正所在則我可為立

以利動 杜牧曰利者見利始動也○梅堯臣曰非利不可動○王晳曰誘之也○何氏曰量敵可擊則擊○張預曰見利乃動不妄發也傳曰三軍以利動

以分合為變者也 曹操曰兵一分一合以敵為變也○李筌曰以詭詐乘其利動或合或分以為變化之形○杜牧曰分合者或分或合以惑敵人觀其應我之形然後能變化以取勝也○陳皞曰作合作分隨而更變之也○孟氏曰兵法詭詐以利動敵心或合或離為變化之術○梅堯臣曰王晳同曹操註○張預曰或分散其形或合聚其勢皆因敵動靜而為變化也或曰變謂奇正相變使敵莫測故衛公兵法云兵散則以合為奇兵合則以散為奇三令五申三散三合復歸於正焉

故其疾如風 曹操曰擊空虛也○李筌曰進退也其來無跡其退至疾也○梅堯臣曰來無形跡○王晳曰速乘虛也○何氏同梅堯臣註○張預曰其來

疾暴所向皆靡**其徐如林**曹操曰不見利也○李筌曰整陳而行○杜牧曰徐緩也言緩行之時須有行列如林木也恐爲敵人之掩襲也○孟氏曰言緩行須有行列如林以防其掩襲○杜佑曰不見利不前如風吹林小動而其大不移○梅堯臣曰如林之森然不亂也○王晳曰齊肅也○張預曰徐舒也舒緩而行若林木之森森然謂未見利也尉繚子曰重者如山如林輕者如炮如燔也**侵掠如火**曹操曰疾也○李筌曰如火燎原無遺草○杜牧曰猛烈不可嚮也○賈林曰侵掠敵國若火燎原不可往復○張預曰詩云如火烈烈莫我敢遏言勢如猛火之熾誰敢禦我**不動如山**曹操曰守也○李筌曰駐軍也○杜牧曰閉壁屹然不可搖動也○賈林曰未見便利敵誘誑我我因不動如山之安○梅堯臣曰峻不可犯○王晳曰堅守也○何氏曰止如山之鎮靜○張預曰所以持重也荀子議兵篇云圓居而方正則若盤石然觸之者角摧言不動之時若山石之不可移犯之者其角立毀**難知如陰**李筌曰其勢不測如陰不能覩萬象○杜牧曰如玄雲蔽天不見三辰○梅堯臣曰

幽隱莫測○王晳曰形藏也○何氏曰暗祕而不可料○張預曰如陰雲蔽天莫覩辰象**動如雷震**李筌曰盛怒也○杜牧曰如空中擊下不知所避也○賈林曰其動也疾不及應○太公曰疾雷不及掩耳○梅堯臣曰迅不及避○王晳曰不虞而至○何氏曰藏謀以奮如此○張預曰如迅雷忽擊不知所避故太公曰疾雷不及掩耳迅電不及瞬目**掠鄉分衆**曹操曰因敵而制勝也○李筌曰抄掠必分兵爲數道懼不虞也○杜牧曰敵之鄉邑聚落無有守兵六畜財穀易於剽掠則須分番次第使衆人皆得往也不可獨有所往如此則大小強弱皆欲與敵爭利也○陳皥曰夫鄉邑村落因非一處察其無備分兵掠之○掠鄉一作指向○賈林曰三軍不可言遣故以旌旗指向隊伍不可語傳故以麾幟分衆故因敵陳形可爲勢此尤順訓練分明師徒服習也○梅堯臣曰以饗士卒○王晳曰指所鄉以分其衆鄉音向○何氏曰得掠物則與衆分○張預曰用兵之道大率務因糧於敵然而鄉邑之民所積不多必分兵隨處掠之乃可足用**廓地分利**曹操曰分敵利也○李筌曰得敵地必分守利害○杜牧曰廓

開也開土拓境則分割與有功者韓信言於漢王曰項王使人有功當封爵者刻印刓忍不能與今大王誠能反其道以天下城邑封功臣天下不足取也三略曰獲地裂之○陳皥曰言獲其土地則屯兵種蒔以分敵之利也○賈林曰廓度也度敵所據地利分其利也○梅堯臣曰與有功也○王晳曰廓視地形以據便利勿使敵專也○張預曰開廓平易之地必分兵守利不使敵人得之或云得地則分賞有功者今觀上下之文恐非謂此也

懸權而動曹操曰量敵而動也○李筌曰權量秤也敵輕重與吾有銖鎰之別則動夫先動爲客後動爲主客難而主易太一遁甲定計之筭明動易也○杜牧曰如衡懸權秤量已定然後動也○何氏同杜牧註○張預曰如懸權於衡量知輕重然後動也尉繚子曰權敵審將而後舉言權量敵之輕重審察將之賢愚然後舉也

先知迂直之計者勝此軍爭之法也李筌曰迂直道路勞佚餧寒生於道路○杜牧曰言軍爭者先須計遠近迂直然後可以爲勝其計量之審如懸權於衡不失錙銖然後可以動而取勝此乃軍爭勝之法也○梅

堯臣曰稱量利害而動在預知遠近之方則勝○王晳曰量敵審輕重而動又知迂直必勝之道也○張預曰凡與人爭利必先量道路之迂直審察而後動則無勞頓寒餧之患而且進退遲速不失其機故勝也

軍政曰梅堯臣曰軍之舊典○王晳曰古軍書

言不相聞故爲金鼓杜佑曰金鉦鐸也聽其音聲以爲耳候○梅堯臣曰以威耳也耳威於聲不可不清○王晳曰鼓鼙鉦鐸之屬坐作進退疾徐踈數皆有其節

視不相見故爲旌旗杜佑曰瞻其指麾以爲目候○梅堯臣曰以威目也目威於色不可不明○王晳曰表部曲行列齊整也

夫金鼓旌旗者所以一人之耳目也李筌曰鼓進鐸退旌賞而旗罰耳聽金鼓目視旌旗故不亂也勇怯不能進退者由旗鼓正也○張預曰夫用兵既衆占地必廣首尾相遠耳目不接故設金鼓之聲使之相聞立旌旗之形使之相見視聽均齊則雖百萬之衆進退如一矣故曰鬬衆如鬬寡形名是也

人既專一則勇

[illegible]人[illegible]一[illegible]

[illegible]

[illegible]者[illegible]人[illegible]

[illegible]

[illegible]夫[illegible]哉

[illegible]聞見故[illegible]哉

[illegible]

[illegible]

者不得獨進怯者不得獨退此用衆之法也

杜牧曰旌以出令旗以應號蓋旗者即今之信旗也軍法曰當進不進當退不退者斬之吳起與秦人戰戰未合有一夫不勝其勇前獲雙首而返吳起斬之軍吏進諫曰此材士也不可斬吳起曰信材士非令也乃斬之○梅堯臣曰一人之耳目者謂使人之視聽齊一而不亂也鼓之則進金之則止麾右則右麾左則左不可以勇怯而獨先也○王晳曰使三軍之衆勇怯進退齊一者鼓鐸旌旗之爲也○張預曰士卒專心一意惟在於金鼓旌旗之號令當進則進當退則退一有違者必戮故曰令不進而進與令不退而退厥罪惟均尉繚子曰鼓鳴旗麾先登者未嘗非多力國士也將者之過也言不可賞先登獲雋者恐進退不一耳

故夜戰多火鼓晝戰多旌旗所以變人之耳目也

李筌曰火鼓夜之所視聽旌旗晝之所指揮○杜牧曰令軍士耳目皆隨旌旗火鼓而變也或曰夜戰多火鼓其旨如何夜黑之後必無原野列陳與敵刻期而戰也軍襲敵營鳴鼓然火適足以警敵人之耳明敵人之目於我返害其義安在答曰富哉問乎此乃孫武之微旨也凡夜戰者蓋敵人來襲我壘不得已而與之戰其法在於立營之法與陳小同故志曰止則爲營行則爲陳蓋大陳之中必包小陳大營之內亦包小營蓋前後左右之軍各自有營環遶大將之營居於中央諸營環之隅落鉤聯曲折相對象天之壁壘星其營相去上不過百步下不過五十步道徑通達足以出隊列部壁壘相望足以弓弩相救每於十字路口必立小堡上致柴薪穴爲暗道胡梯上之令人看守夜黑之後聲鼓四起即以燔燎是以賊夜襲我雖入營門四顧屹然復有小營各自堅守東西南北未知所攻大將營或諸小營中先知有賊至者放令盡入然後擊鼓諸營齊應衆堡燎火明如晝日諸營兵士於是閉門登壘下瞰敵人勁弩彊弓四向俱發敵人雖有韓白之將鬼神之兵亦無能計也唯恐夜不襲我來則必敗若敵人或能潛入一營即諸營舉火出兵四面繞之號令營中不得輒動須臾之際善惡自分賊若出走皆在羅網矣故司馬宣王入諸葛亮營壘見其曲折曰此天下之奇才也今之立營通洞豁達雜以居之若有賊夜來斫營萬人

一時驚擾雖多致斥候嚴爲備守晦黑之後彼我不分雖有衆力亦不能用○陳皥曰杜言夜黑之後必無原野列陳與敵人刻期而戰非也天寶末李光弼以五百騎趨河陽多列火炬首尾不息史思明數萬之衆不敢逼之豈止待賊斫營而已○賈林曰火鼓旌旗可以聽望故晝夜異用之○梅堯臣曰多者欲以變惑敵人耳目○王晳曰多者所以震駭視聽使慹我之威武聲氣也傳曰多鼓鈞聲以夜軍之○張預曰凡與敵戰夜則火鼓不息晝則旌旗相續所以變亂敵人之耳目使不知其所以備我之計越伐吳夾水而陳越爲左右句卒使夜或左或右鼓譟而進吳師分以禦之遂爲越所敗是惑以火鼓也晉伐齊使司馬斥山澤之險雖所不至必旆而疏陳之齊侯畏而脫歸是惑以旌旗也

故三軍可奪氣

曹操曰左氏言一鼓作氣再而衰三而竭○李筌曰奪氣奪其銳勇齊伐魯戰於長勺齊人一鼓公將戰曹劌曰未可齊人三鼓劌曰可矣乃戰齊師敗績公問其故劌曰夫戰勇氣也一鼓作氣再而衰三而竭彼竭我盈故克之奪三軍之氣也○杜牧曰司馬法戰以力久以氣勝齊伐魯莊公將戰於長勺公將鼓之曹劌曰未可齊人三鼓劌曰可矣齊師敗績公問其故對曰夫戰勇氣也一鼓作氣再而衰三而竭彼竭我盈故克之晉將毋丘儉文欽反諸軍屯樂嘉司司景王銜枚徑造之欽子鴦年十八勇冠三軍曰及其未定請登城鼓譟擊之可破既而三譟之欽不能應鴦退相與引而東景王謂諸將曰欽走矣發銳軍以追之諸將曰欽舊將鴦小而銳引軍內入未有失利必不走也王曰一鼓作氣再而衰三而竭鴦鼓而欽不應其勢已屈不走何待欽果引去○王晳曰震慹衰惰則軍氣奪矣○何氏曰淮南子曰將充勇而輕敵卒果敢而樂戰三軍之衆百萬之師志厲青雲氣如飄風聲如雷霆誠積踰而威加敵人此謂氣勢吳子曰三軍之衆百萬之師張設輕重在於一人是謂氣機故奪氣者有所待有所乘則可矣○張預曰氣者戰之所恃也夫含生禀血鼓作鬭爭雖死不省者氣使然也故用兵之法若激其士卒令上下同怒則其鋒不可當故敵人新來而氣銳則且以不戰挫之伺其衰倦而後擊故彼之銳氣可以奪也尉繚子謂氣實則鬭氣奪則走者此之謂也曹劌言一鼓作氣者謂初來之氣盛也再而衰三而竭者謂陳久而人倦也又李靖曰守者不止守其壁堅其陳而已必也守吾氣

而有待焉所謂守其氣者常養吾之氣使銳盛而不衰然後彼之氣可得而奪也**將軍可奪心**李筌曰怒之令憤撓之令亂間之令疎卑之令驕則彼之心可奪也○杜牧曰心者將軍心中所倚賴以爲軍者也後漢寇恂征隗囂囂將高峻守高平第一峻遣軍將皇甫文出謁恂辭禮不屈恂怒斬之遣其副峻惶恐即日開城門降諸將曰敢問殺其使而降其城何也恂曰皇甫文峻之腹心其所取計者今來辭氣不屈必無降心全之則文得其計殺之則峻亡其膽是以降耳後燕慕容垂遣子寶率衆伐後魏始寶之來垂巳有疾自到五原道武帝斷其來路父子問絕道武乃詭其行人之辭令臨河告之曰父巳死何不遽還寶兄弟聞之憂懼以爲信然因夜遁去道武襲之大破於參合陂○梅堯臣曰以鼓旗之變惑奪其氣軍旣奪氣將亦奪心○王晳曰紛亂諠譁則將心奪矣○何氏曰先須己心能固然後可以奪敵將之心故傳曰先人有奪人之心司馬法曰本心固新氣勝者是也○張預曰心者將之所主也夫治亂勇怯皆主於心故善制敵者撓之而使亂激之而使惑迫之而使懼故彼之心謀可以奪也傳曰先人有奪人之心謂奪其本

心之計也又李靖曰攻者不止攻其城擊其陳而已必有攻其心之術焉所謂攻其心者常養吾之心使安閑而不亂然後彼之心可得而奪也**是故朝氣銳**陳皞曰初來之氣氣方盛銳勿與之爭也○孟氏曰司馬法曰新氣勝舊氣新氣即朝氣也○王晳曰士衆凡初舉氣銳也**晝氣惰**王晳曰漸久少怠**暮氣歸**孟氏曰朝氣初氣也晝氣再作之氣也暮氣衰竭之氣也○梅堯臣曰朝言其始也晝言其中也暮言其終也謂兵始而銳久則惰而思歸故可擊○王晳曰怠久意歸無復戰理**故善用兵者避其銳氣擊其惰歸此治氣者也**李筌曰氣者軍之氣勇○杜牧曰陽氣生於子成於寅衰於午伏於申凡晨朝陽氣初盛其來必銳故須避之候其衰伏擊之必勝武德中太宗與竇建德戰於汜水東建德列陳彌亘數理太宗將數騎登高觀之謂諸將曰賊度險而囂是軍無政令逼城而陳有輕我心按兵不出待敵氣衰陳久卒飢必將自退退而擊之何往不克建德列陳自卯至午兵士飢倦悉列坐右又

爭飲水太宗曰可擊矣遂戰生擒建德〇陳皥曰有辰巳列陳至午未未勝者午未列陳至申酉未勝者不必事須晨旦而爲陽氣中午而爲衰氣也太宗之攻建德也登高而望之謂諸將曰賊盡銳來攻我當少避之退則可以騎留之以明不須晨旦也凡彼有銳則如此避之不然則否〇杜佑曰避其精銳之氣擊其懈惰欲歸此理氣者也曹劌之說是也〇梅堯臣曰氣盛勿擊衰懈易敗〇何氏曰夫人情莫不樂安而惡危好生而懼死無故驅之就卧尸之地樂趨於兵戰之場其心之所畜非有忿怒欲鬭之氣一旦乘而激之冒難而不顧犯危而不畏則未嘗不悔而怯矣今夫天下懦夫心有所激則率爾爭鬭不啻諸劌至于操刃而求鬭者氣之所乘也氣衰則息惻然而悔矣故三軍之視強寇如視處女者乘其忿怒而有所激也是以即墨之圍五千人擊却燕師者乘燕劓降掘塚之怒也秦之鬭士倍我者因三施無報之怒所以我怠而秦奮也二者治氣有道而所用乘其機也〇張預曰朝喻始晝喻中暮喻末非以早晚爲辭也凡人之氣初來新至則勇銳陳久人倦則衰故善用兵者當其銳盛則堅守以避之待其惰歸則出兵以擊之此所謂善治巳之氣以奪人之氣者也前趙將游子遠之敗伊餘羌唐武德中太宗之破竇建德皆用此術

以治待亂以靜待譁此治心者也

李筌曰伺敵之變因而乘之〇杜牧曰司馬法曰本心固言料敵制勝本心巳定但當調治之使安靜堅固不爲事撓不爲利惑候敵之亂伺敵之譁則出兵攻之矣〇陳皥曰政令不一賞罰不明謂之亂旌旗錯雜行伍輕囂謂之譁審敵如是則出攻之〇賈林曰以我之整治待敵之撓亂以我之清淨待敵之諠譁此治心者也故太公曰事莫大於必克用莫大於玄默也〇梅堯臣曰鎮靜待敵衆心則寧〇王晳同陳皥註〇何氏曰夫將以一身之寡一心之微連百萬之衆對虎狼之敵利害之相雜勝負之紛揉權智萬變而措置於胷臆之中非其中廓然方寸不亂豈能應變而不窮處事而不迷卒然遇大難而不驚案然接萬物而不惑吾之治足以待亂吾之靜足以待譁前有百萬之敵而吾視之則如遇小寇亞夫之禦寇也堅卧而不起欒箴之臨敵也好以整又好以暇夫審此二人者蘊以何術哉蓋其心治之有素養之有餘也〇張預曰治以待亂靜以待譁安以待躁忍以待忿嚴以待

懈此所謂善治己之心以奪人之心者也**以近待遠以佚待勞以飽待飢**
此治力者也李筌曰客主之勢○杜牧曰上文云致人而不致於人是也○杜佑曰以我之近待彼之遠以
我之閑佚待彼之疲勞以我之充飽待彼之飢虚此理人力者也○
梅堯臣曰無困竭人力以自弊○王晳曰以餘制不足善治力也○
張預曰近以待遠佚以待勞飽以待飢誘以待來
重以待輕此所謂善治己之力以困人之力者也**無邀正正之**
旗勿擊堂堂之陳此治變者也曹操曰正正齊也堂堂大也○李筌曰正
正者齊整也堂堂者部分也○杜牧曰堂堂者無懼也兵者隨敵而
變敵有如此則勿擊之是能治變也後漢曹公圍鄴袁尚來救公曰
尚若從大道來當避之若循西山來此成擒耳尚果循西山來逆擊
大破之也○梅堯臣曰正正而來堂堂而陳示無懼也必有奇變○
王晳曰本可要擊以視整齊盛大故變○何氏曰所謂強則避之○
張預曰正正謂形名齊整也堂堂謂行陳廣大也敵人如此豈可輕

戰軍政曰見可而進知難而退又曰強而避之言**故用兵之法**
須識變通此所謂善治變化之道以應敵人者也
高陵勿向背丘勿逆李筌曰地勢也○杜牧曰向者仰也背者倚也逆者迎也言敵在高處不
可仰攻敵倚丘山下來求戰不可逆之此言自下趨高者力乏自高
趨下者勢順也故不可向迎○孟氏曰敵背丘陵為陳無有後患則
當引軍平地勿迎擊之○杜佑曰敵若依據丘陵險阻陳兵待敵勿
輕攻趨也既馳勢不便及有殞石之衝也○梅堯臣曰高陵勿向者
敵處其高不可仰擊背丘勿逆者敵自高而來不可逆戰勢不便也
○王晳曰如此不便則當嚴陳以待變也○何氏曰秦伐韓趙王令
趙奢救之秦人聞之悉甲而至軍士許歷請以軍事諫曰秦人不意
趙師至此其來氣盛將軍必厚集其陳以待之不然必敗今先據北
山上者勝後至者敗奢從之即發萬人趨之秦兵後至爭山不得上
奢縱兵擊之大破秦軍後周遣將伐高齊圍洛陽齊將段韶禦之登
邙坂聊欲觀周軍形勢至太和谷便值周軍即遣馳告諸營與諸將
結陳以待之周軍以步人在前上山逆戰韶以彼步我騎且却且引

[illegible]

得其力弊乃遣下馬擊之短兵始交周人大潰並即奔遁○張預曰敵處高爲陳不可仰攻人馬之馳逐弧矢之施發皆不便也故諸葛亮曰山陵之戰不仰其高敵從高而來不可迎之勢不順也引至平地然後合戰

佯北勿從李筌杜牧曰恐有伏兵也○賈林曰敵未衰忽然奔北必有奇伏要擊我兵謹勒將士勿令逐追○杜佑曰北奔走也敵方戰氣勢未衰便奔走而陳兵者必有奇伏勿深入從之故太公曰夫出甲陳兵縱卒亂行者欲以爲變也○梅堯臣同杜牧註○王晳曰勢不至北必有詐也則勿逐○何氏曰如戰國秦師伐趙趙奢之子括代廉頗將拒秦於長平秦陰使白起爲上將軍趙出兵擊秦秦軍佯敗而走張二奇兵以劫之趙軍逐勝追造秦壁壁堅不得入而秦奇兵二萬五千人絶趙軍後又一軍五千騎絶趙壁間趙軍分而爲二糧道絶而秦出輕兵擊之趙戰不利因築壁堅守以待救至秦聞趙食道絶王自之河内發卒遮絶趙救及糧食趙卒不得食四十六日陰相殺食括中射而死蜀劉表遣劉備北侵至鄴曹公遣夏侯惇李典拒之一朝備燒屯去惇遣諸將追擊之典曰賊無故退疑必有伏南道窄狹草木深不可追也不聽

惇等果入賊伏裏典往救備見救至乃退西魏末遣將史寧與突厥同伐吐谷渾遂至樹敦即吐谷渾之舊都多諸珍藏而其主先已奔賀真城留其征南王及數千人固守寧攻之僞退吐谷渾人果開門逐之因回兵奪門門未及闔寧兵遂得入生獲其征南王俘獲男女財寶盡歸諸突厥北齊高澄立侯景叛歸梁而圍彭城澄遣慕容紹宗討之將戰紹宗以梁人剽悍恐其衆之撓也召將帥而語之曰我當佯退誘梁人使前汝可擊其背申明誡之景又命梁人曰逐北勿過二里會戰紹宗走梁人不用景言乘敗深入魏人以紹宗之言爲信爭掩擊遂大敗之唐安祿山反郭子儀圍衛州僞鄭王慶緒率兵來援分爲三軍子儀陳以待之預選射者三千人伏於壁内誡之曰俟吾小却賊必爭進則登城鼓譟弓弩齊發以逼之既戰子儀僞退而賊果乘之乃開壘門遽聞鼓譟矢注如雨賊徒震駭整衆追之遂虜慶緒○張預曰敵人奔北必審真僞若旗鼓齊應號令如一紛紛紜紜雖退走非敗也必有奇也不可從之若旗靡轍亂人囂馬駭此真敗却也

鋭卒勿攻李筌曰避彊氣也○杜牧曰避實也楚子伐隋隋臣季良曰楚人尚左君必左無與王遇且攻

其右右無良焉必敗偏敗衆乃攜矣隋少師曰不當王非敵也不從
隋師敗績○陳皞曰此說是避敵所長非銳卒勿攻之旨也蓋言士
卒輕銳且勿攻之待其懈惰然後擊之所謂千里遠鬬其鋒莫當蓋
近之爾○梅堯臣曰伺其氣挫○何氏曰如蜀先主率大衆東伐吳
吳將陸遜拒之蜀主從建平連圍至夷陵界立數十屯以金帛爵賞
誘動諸夷先遣將吳班以數千人於平地立營欲以挑戰諸將皆欲
擊之遜曰備舉軍東至銳氣始盛且乘高守險難可卒攻攻之縱下
猶難盡克若有不利損我必大今但且獎勵將士廣施方略以觀其
變備知其計不行乃引伏兵八千人從谷中出遜曰所以不聽諸軍
擊班者揣之必有巧故也諸將並曰攻備當在初今乃令人五六百
里相銜持經七八月其諸要害賊已固守擊之必無利矣遜曰備是
猾虜其軍始集思慮精專未可干也今住已久不得我便兵疲意沮
計不復生犄角此寇正在今日乃先攻一營不利遜曰吾已曉破之
之術乃令各持一把茅以火攻拔之備因夜遁魏末吳將諸葛恪圍
新城司馬景王使毋丘儉文欽等拒之儉欽請戰景王曰恪卷甲深
入投兵死地其鋒未易當且新城小而固攻之未可拔遂令諸將高

壘以弊之相持數日恪攻城力屈死傷太半景王乃令欽督銳卒趣
合榆斷其歸路恪懼而遁前趙劉曜遣將討羌大酋權渠率衆保險
阻曜將游子遠頻敗之權渠欲降其子伊餘大言於衆中曰往年劉
曜自來猶無若我何晨壓子遠壘門左右勸出戰子遠曰吾聞伊餘
有專諸之勇慶忌之捷其父新敗怒氣甚盛且西戎勁悍其鋒不可
擬也不如緩之使氣竭而擊之乃堅壁不戰伊餘有驕色子遠候其
無備夜分誓衆秣馬蓐食先晨具甲掃壘而出遲明設覆而戰生擒
伊餘于陳唐武德中太宗率師往河東討劉武周江夏王道宗從軍
太宗登玉壁城觀賊顧謂道宗曰賊恃其衆來邀我戰汝謂如何對
曰羣賊鋒不可當易以計屈難與力爭今衆深壁高壘以挫其鋒烏
合之徒莫能持久糧運致竭自當離散可不戰而擒太宗曰汝意見
暗與我合後賊食盡夜遁一戰敗之又太宗征薛仁杲於折墌城賊
十有餘萬兵鋒甚銳數來挑戰諸將請戰太宗曰我卒新經挫衄銳
氣猶少賊驟勝必輕進好鬬我且閉壁以折之待其氣衰而後擊可
一戰而破此萬全計也因令軍中曰敢言戰者斬相持久之賊糧盡
軍中頗攜貳其將相繼來降太宗知仁杲必腹內離謂諸將曰可以

戰矣令總管梁實營於淺水原以誘之賊大將宗羅睺自恃驍悍求戰不得氣憤者久之及是盡銳攻梁實冀逞其志梁實固險不出以挫其鋒羅睺攻之愈急太宗度賊已疲復謂諸將曰彼氣將衰吾當取之必矣申令諸將遲明合戰令將軍龐玉陳於淺水原南出賊之右先餌之羅睺幷軍共戰玉軍幾敗太宗親御大軍奄自原北出其不意羅睺回師相拒我師表裏齊奮呼聲動天羅睺氣奪於是大潰又李靖從河間王孝恭討蕭銑兵至夷陵銑將文士弘率精卒數萬屯清江孝恭欲擊之靖曰士弘銑之健將士卒驍勇今新出荊門盡兵出戰此是救敗之師恐不可當也宜且泊南岸勿與爭鋒待其氣衰然後奮擊破之必矣孝恭不從留靖守營與賊戰孝恭果敗奔于南岸○張預曰敵若乘銳而來其鋒不可當宜少避之以伺疲挫晉楚相持楚晨壓晉軍而陳軍吏患之欒書曰楚師輕窕固壘以待之三日必退退而擊之必獲勝焉又唐太宗征薛仁杲賊兵鋒甚銳數來挑戰諸將咸請戰太宗曰當且閉壘以折之待其氣衰可一戰而破也果然

餌兵勿食

李筌曰秦人毒涇上流○杜牧曰敵忽棄飲食而去先須嘗試不可便食慮毒也後魏文帝時

庫莫奚侵擾詔濟陰王新成率衆討之王乃多爲毒酒賊既漸逼使棄營而去賊至喜競飲酒酣毒作王簡輕騎縱擊俘獲萬計○陳皥曰此之獲勝蓋非偶然固非爲將之道垂後世法也孫子豈以他人不能致毒於人腹中哉此言喻魚若見餌不可食也敵若懸利不可貪也曹公與袁紹將文醜等戰諸將以爲敵騎多不如還營荀攸曰此所以餌敵也安可去之即知餌兵非止謂寘毒也食字疑或爲貪字也○梅堯臣曰魚貪餌而亡兵貪餌而敗敵以兵來釣我我不可從○王晳曰餌我以利必有奇伏○何氏曰如春秋時楚伐絞軍其南門莫敖屈瑕曰絞小而輕輕則寡謀請無扞采樵者以誘之從之絞人獲三十人明日絞人爭出驅楚役徒於山中楚人坐其北門而覆諸山下大敗之爲城下之盟而還又如赤眉佯敗棄輜重走車載土以豆覆其上鄧弘取之爲赤眉所敗曹公未得濟而放牛馬馬超取之而公得渡又如曹公棄輜重文醜劉備分取之而爲公所破又如後魏廣陽王元深以乜列河誘拔陵竟來抄掠拔陵爲于謹伏兵所破此皆餌之之術也○張預曰三略曰香餌之下必有懸魚言魚貪餌則爲釣者所得兵貪利則爲敵人所敗夫餌兵非止謂寘毒於

[illegible]

飲食但以利留敵皆爲餌也若曹公以畜產餌馬超以輜重餌袁紹李矩以牛馬餌石勒之類皆是也

歸師勿過李筌曰士卒思歸志不可遏也○杜牧曰曹公自征張繡於穰劉表遣兵救繡以絶軍後公將引還繡兵來追公軍不得進表與繡復合兵守險公軍前後受敵公乃夜鑿險爲地道悉過輜重設奇兵步騎夾攻大破之公謂荀文若曰虜遏吾歸師而與吾死地吾是以知勝矣○孟氏曰人懷歸心必能死戰則不可止而擊也○杜佑曰人人有室家鄉國之往不可遏截之徐觀其變而制之○梅堯臣曰敵必死戰○王晳曰人自爲戰也勿遏塞之若猶有他慮則可要而擊曹公攻鄴袁尚來救諸將以爲歸師不如避之公曰尚從大道來則避之若循西山來者此成擒耳蓋大道來則歸意全循山來則顧負險且有懼心也○何氏曰如魏初曹操圍張繡於穰劉表遣兵救繡以絶軍後公將引還繡兵來追公軍不得進連營稍前到安衆繡與表合兵守險公軍前後受敵公乃夜鑿險爲地道悉過輜重設奇兵會明賊謂公爲遁也悉軍來追乃縱奇兵步騎夾攻大破之公謂荀彧曰虜遏吾歸師與吾死地是以知勝齊建武二年魏圍鍾離張欣泰

爲軍主隨崔慧景救援及魏軍退而邵陽洲上餘兵萬人求輸馬五百匹假道慧景欲斷路攻之欣泰說慧景曰歸師勿過古人畏之兵在死地不可輕也慧景乃聽過也前秦苻堅征晉至壽春兵敗還長安慕容泓起兵于華澤堅將苻叡寶衝姚萇討之苻叡勇果輕敵不恤士衆泓聞其至也懼率衆將奔關東叡馳兵邀之姚萇諫曰鮮卑有思歸之心宜驅令出關不可遏也叡弗從戰于華澤叡敗績被殺後涼呂弘攻段業於張掖不勝將東走業議欲擊之其將沮渠蒙遜諫曰歸師勿過窮寇勿追此兵家之戒不如縱之以爲後圖業曰一日縱敵悔將無及遂率衆追之爲弘所敗○張預曰兵之在外人人思歸當路邀之必致死戰韓信曰從思東歸之士何所不克曹公既破劉表謂荀彧曰虜遏吾歸師吾是以知勝又呂弘攻段業不勝將東走業欲擊之或諫曰歸師勿過兵家之戒不如縱之以爲後圖業不從率衆追之爲弘所敗古人似此者多不可悉陳

圍師必闕曹操曰司馬法曰圍其三面闕其一面所以示生路也○李筌曰夫圍敵必空其一面示不固也若四面圍之敵必堅守不拔也項羽坑外黃魏武圍壺關即其義也○杜牧曰示以生路令

[illegible]

圖

[illegible]

無必死之心因而擊之後漢妖巫維汜弟子單臣傅鎮等相聚入原武城劫掠吏人自稱將軍光武遣臧宮將北軍數千人圍之賊食多數攻不下士卒死傷帝召公卿諸侯王問方略明帝時爲東海王對曰妖巫相劫勢無久立其中必有悔者但外圍急不得走耳小挺緩令得逃亡則一亭長足以擒矣帝即勑令開圍緩守賊衆分散遂斬臣鎮等大唐天寶末李光弼領朔方軍與史思明戰于土門賊衆退散四面圍合光弼令開東南角以縱之賊見開圍棄甲急走因追擊之盡殲其衆是開一面也○杜佑曰若圍敵平陸之地必空一面以示其虛欲使戰守不固而有去留之心若敵臨危據險彊救在表當堅固守之未必闕也此用兵之法○梅堯臣同曹操註○何氏曰如後漢初張步據齊地漢將耿弇擊兵討之步使其大將費邑軍歷下又分守祝阿鍾城弇先擊祝阿自晨攻城未日中而拔故開圍一角令其衆得奔歸鍾城鍾城人聞祝阿已潰大恐懼遂空壁亡去又朱儁與徐璆共討黃巾餘賊韓忠據宛乞降不許因急攻之連城不克儁登山觀之顧謂張超曰吾知之矣賊今外圍周固內營急逼乞降不受欲出不得所以死戰也萬人一心猶不可當況十萬乎其害甚

矣今不如徹圍并兵入城忠見圍解則勢必自出出則意散易破之道也旣而解圍忠果出戰儁因破之又魏太祖圍壺關下令曰城拔皆坑之連月不下曹仁曰圍城必示之活門所以開其生路也今公告之必死將人自爲守且城固而糧多攻之則士卒傷守之則日久今頓兵堅城之下攻必死之虜非良計也太祖從之開城遂降又後魏末齊神武起義兵於河北尒朱兆天光度律仲遠等四將同會鄴南士馬精彊號二十萬圍神武於南陵山是時神武馬二千步卒不滿三萬人兆等設圍不合神武連繫牛驢自塞歸道於是將士死戰四面奮擊大破兆等○張預曰圍其三面開其一角示以生路使不堅戰後漢朱儁討賊帥韓忠於宛急攻不克因謂軍吏曰賊今外圍周固所以死戰若我解圍勢必自出出則意散易破之道也果如其言又曹公圍壺關謂之曰城破皆坑之連攻不下曹仁謂公曰夫圍城必示之活門所以開其生路也今公許之必死令人自守非計也公從之遂拔其城是也

窮寇勿迫

杜牧曰春秋時吳伐楚楚師敗走及清發闔閭復將擊之夫槩王曰困獸猶鬭況人乎若知不免而致死必敗我若使半濟而後可擊也從之又敗

之漢宣帝時趙充國討先零羌羌覩大軍棄輜重欲渡湟水道阨狹充國徐行驅之或曰逐利行遲充國曰窮寇也不可迫緩之則走不顧急之則還致死諸將曰善虜果赴水溺死者數萬於是大破之也○陳皞曰鳥窮則噣獸窮則噬也○梅堯臣曰困獸猶鬬物理然也○何氏曰前燕呂護據野王陰通晉事覺燕將慕容恪等率衆討之將軍傅顏言之恪曰護窮寇假合王師既臨則上下喪氣殿下前以廣固天險守易攻難故爲長久之策今賊形不與往同宜急攻之以省千金之費恪曰護老賊經變多矣觀其爲備之道則未易卒圖也今圍之於窮城樵採路絕內無蓄積外無彊援不過於十旬弊之必矣何必殘士卒之命而趨一時之利哉此謂兵不血刃而坐以制勝也遂列長圍守之凡經六月而野王潰護南奔于晉悉降其衆五代晉將符彥卿杜重威經略北鄙遇虜於陽城戎人十萬圍晉師於中野乏水軍人鑿井取泥衣絞而吮之人馬渴死甚衆彥卿曰與其束手就擒曷若以身徇國我今窮蹙乃率勁騎出擊之會大風揚塵乘勢決戰戎人大潰此彥卿爲虜十萬所圍乃窮蹙之寇遂致死力以求生戎人不悟之致敗也○張預曰敵若焚舟破釜來決一戰則不

可遏迫蓋獸窮則搏也晉師敗齊于鞌齊侯請盟晉人不許齊侯曰請收合餘燼背城借一晉人懼而與之盟吳夫槩王謂困獸猶鬬漢趙充國言緩之則走不顧急之則還致死蓋亦近之

此用兵之法也

九變篇

曹操曰變其正得其所用九也○王晳曰晳謂九者數之極用兵之法當極其變耳逸詩云九變復貫不知曹公謂何爲九或曰九地之變也○張預曰變者不拘常法臨事適變從宜而行之之謂也凡與人爭利必知九地之變故次軍爭

孫子曰凡用兵之法將受命於君合軍聚衆

張預曰已解上文

圮地無舍

曹操曰無所依也水毁曰圮○李筌曰地下曰圮行必水淹也○陳皞曰圮低下也孔明謂之地獄獄者中下四面高也○孟氏曰太下則爲敵所因○杜佑曰擇地頓兵當趨利而避害也○梅堯臣曰山林險阻沮澤之

[illegible]

地不可舍止無所依也○何氏曰下篇言圮地則吾將進其塗謂少固之地宜速去之也○張預曰山林險阻沮澤凡難行之道爲圮地以其無所依故不可舍止

衢地交合

曹操曰結諸侯也○李筌曰四通曰衢結諸侯之交地也○賈林曰結諸侯以爲援○梅堯臣曰夫四通之地與旁國相通當結其交也○何氏曰下篇云衢地吾將固其結言交結諸侯使牢固也○張預曰四通之地旁有鄰國先往結之以爲交援

絕地無留

曹操曰無久止也○李筌曰地無泉井畜牧來樵之處爲絕地不可留也○賈林曰谿谷坎險前無通路曰絕當速去無留○梅堯臣曰始去國始出境猶不居輕地是不可久留也○張預曰去國越境而師者絕地也危絕之地過於重地故不可淹留久止也

圍地則謀

曹操曰發奇謀也○李筌曰因地能通○賈林曰居四險之中曰圍地敵可往來我難出入居此地者可預設奇謀使敵不爲我患乃可濟也○梅堯臣曰往返險迂當出奇謀○何氏曰下篇亦云圍地則謀言在艱險之地與敵相持須用奇險詭譎之謀不至於害也○張預曰居前隘後固之地當發奇謀若漢高爲匈奴所圍用陳平奇計得出茲近之

死地則戰

曹操曰殊死戰也○李筌曰置兵於必死之地人自爲私鬭韓信破趙此是也○梅堯臣曰前後有礙決在死戰此而上舉九地之大約也○王晳註上之五地並同曹公○何氏曰下篇亦云死地則戰者此地速爲死戰則生若緩而不戰氣衰糧絕不死何待也○張預曰走無所往當殊死戰淮陰背水陳是也從圮地無舍至此爲九變止陳五事者舉其大略也九地篇中說九地之變唯言六事亦陳其大略也凡地有勢有變九地篇上所陳者是其勢也下所敘者是其變也何以知九變爲九地之變下文云將不通九變雖知地形不能得地利又九地篇云九地之變屈伸之利不可不察以此觀之義可見也下既說九地此復言九變者孫子欲敘五利故先陳九變蓋九變五利相須而用故兼言之

塗有所不由

曹操曰隘難之地所不當從不得已從之故爲變○李筌曰道有險狹懼其邀伏不可由也○杜牧曰後漢光武遣將軍馬援耿舒討武陵五谿蠻軍次下雋今辰州也有兩道可入從壺頭則路近而水險從充道則路夷而運遠帝初以爲疑及軍至耿舒欲從充道援以爲棄

曰費糧不如進壷頭搤其咽喉則賊自破以事上之帝從援策乃進營壷頭賊乗高守隘水疾船不得上會暑溼士卒多疫死援亦中病卒耿舒與兄好畤侯書曰舒前上言當先擊充糧雖難運而兵馬得用軍人數萬爭欲先奮今壷頭竟不得進大衆怫鬱行死誠可痛惜○賈林曰由從也途且不利雖近不從○杜佑曰阨難之地所不當從也不得已從之故爲變也○梅堯臣曰避其險阨也○王晳曰途雖可從而有所不從慮奇伏也若趙涉說周亞夫避殽黽阸陿之間慮置伏兵請走藍田出武關抵洛陽間不過差一二日是也○張預曰險阨之地車不得方軌騎不得成列故不可由也不得已而行之必爲權變韓信知陳餘不用李左車計乃敢入井陘口是也

軍有所不擊

曹操曰軍雖可擊以地險難久留之失前利若得之則利薄困窮之兵必死戰也○杜牧曰蓋以銳卒勿攻歸師勿遏窮寇勿追死地不可攻或我彊敵弱敵前軍先至亦不可擊恐驚之退走也言有如此之軍皆不可擊斯統言爲將須知有此不可擊之軍即須不擊益爲知變也故列於九變篇中○陳皞曰見小利不能傾敵則勿擊之恐重勞人也○賈林曰軍可威懷勢將降伏則不擊寇窮據險擊則死戰可自固守待其心情取之○杜佑曰軍雖可擊以地險難久留之失前利若得之利薄也窮困之卒隘陷之軍不可攻爲死戰也當固守之以待隙也○梅堯臣曰往無利也○王晳曰曹公曰軍雖可擊以地險難久留之失前利若得之則利薄晳謂餌兵銳卒正正之旗堂堂之陳亦是也○張預曰縱之而無所損克之而無所利則不須擊也又若我弱彼彊我曲彼直亦不可擊如晉楚相持士會曰楚人德刑政事典禮不易不可敵也不爲是征義相近也

城有所不攻

曹操曰城小而固糧饒不可攻也操所以置華費而深入徐州得十四縣也○杜牧曰操捨華費不攻故能兵力完全深入徐州得十四縣也蓋言敵於要害之地深峻城隍多積糧食欲留我師若攻拔之未足爲利不拔則挫我兵勢故不可攻也宋順帝時荊州守沈攸之反素蓄士馬資用豐積戰士十萬甲馬二千軍至郢城功曹臧寅以爲攻守異勢非旬日所拔若不時舉挫銳損威今順流長驅計日可捷既傾根本則郢城豈能自固故兵法曰城有所不攻是也攸之不從郢郡守柳世隆拒攸之攸之盡銳攻之不克衆潰走入林自縊後周武帝欲

[illegible]有所不足[illegible]

出兵於河陽以伐齊吏部守文猇進曰今用兵須擇地河陽要衝精兵所聚盡力攻之恐難得志如臣所見彼汾之曲戍小山平攻之易拔用武之地莫過於此帝不納師竟無功復大舉伐齊卒用猇計以滅齊國家自元和三年至于今三十年間凡四攻寇魏薄攻寇之南宮縣上黨攻寇之臨城縣太原攻寇之河星鎮是寇三城池浚壁堅蒭粟米石金炭麻膏凡城守之資常為不可勝之計以備官軍擊虜攻既不拔兵頓力疲寇以勁兵來救故百戰百敗故三十年間困天下之功力攻數萬之寇四圍其境通計十歲竟無尺寸之功者蓋常墮寇計中不能知變也○賈林曰臣忠義重稟命堅守者亦不可攻也○梅堯臣曰有所害也○王晳曰城非控要雖可攻然懼於鈍兵挫銳或非堅實而得士死力又尅雖有期而救兵至吾雖得之利不勝其所害也○張預曰拔之而不能守委之而不為患則不須攻也又若深溝高壘卒不能下亦不可攻如士匄請伐偪陽荀罃曰城小而固勝之不武弗服為笑是也

地有所不爭

曹操曰小利之地方爭得而失之則不爭也○杜牧曰言得之難守失之無害伍子胥諫夫差曰今我伐齊獲其地猶石田也東晉陶侃

鎮武昌議者以武昌北岸有邾城宜分兵鎮之侃每不答而言者不已侃乃渡水獵引諸將佐語之曰我所以設險而禦寇正以長江耳邾城隔在江北內無所倚外接羣夷夷中利深晉人貪利夷不堪命必引寇虜乃致禍之由非禦寇也且今縱有兵守之亦無益於江南若羯虜有可乘之會此又非所資也後庾亮戍之果大敗也○梅堯臣曰得之無益者○王晳曰謂地雖要害敵已據之或得之無所用若難守者○張預曰得之不便於戰失之無害於己則不須爭也又若遼遠之地雖得之終非己有亦不可爭如吳子伐齊伍員諫曰得地於齊猶獲石田也不如早從事於越不聽為越所滅是也

君命有所不受

曹操曰苟便於事不拘於君命也○李筌曰苟便於事不拘君命穰苴斬莊賈魏絳戮楊干是也○杜牧曰尉繚子曰兵者凶器也爭者逆德也將者死官也無天於上無地於下無敵於前無主於後○賈林曰決必勝之機不可推於君命苟利社稷專之可也○孟氏曰無敵於前無君於後閫外之事將軍制之○梅堯臣曰從宜而行也此而上五利也○張預曰苟便於事不從君命夫槩王曰見義而行不待命是也自塗有所不由

至此爲五利或曰自圯地無舍至地有所不爭爲九變謂此九事皆不從中覆但臨時制宜故統之以君命有所不受故將
通於九變之地利者知用兵矣李筌曰謂上之九事也○杜佑曰九事之
變皆臨時制宜不由常道故言變也○賈林曰九變上九事將帥之
任機權遇勢則變因利則制不拘常道然後得其通變之利變之則
九數之則十故君命不在常變例也○梅堯臣曰達九地之勢變而
爲利也○王晳曰非賢智不能盡事理之變也○何氏曰孫子以九
變名篇解者十有餘家皆不條其九變之目者何也蓋自圯地無舍
而下至君命有所不受其數十矣使人不得不惑愚熟觀文意上下
止述其地之利害爾且十事之中君命有所不受且非地事昭然不
類矣蓋孫子之意言凡受命之將合聚軍衆如經此九地有害而無
利則當變之雖君命使之舍留攻爭亦不受也況下文言將不通於
九變之利者雖知地形不能得地之利矣其君命豈得與地形而同
筭也況下之地形篇云戰道必勝主曰無戰必戰可也戰道不勝主
曰必戰無戰可也厥旨盡在此矣○張預曰更變常道而得其利者

知用兵之道矣將不通於九變之利者雖知地形不能
得地之利矣賈林曰雖知地形心無通變豈惟不得其利亦恐反受害也將貴適變也○梅堯臣曰知地不
知變安得地之利○張預曰凡地有形有變知形而不曉變豈能得地之利治兵不知九變之
術雖知五利不能得人之用矣曹操曰謂下五事也九變一云五變○賈
林曰五利五變亦在九變之中遇勢能變則利不變則害在人故無
常體能盡此理乃得人之用也五變謂途雖近知有險阻奇伏之變
而不由軍雖可擊知有窮寇死闘之變而不擊城雖勢孤可攻知有
糧充兵銳將智臣忠不測之變而不攻地雖可爭知得之難守得之
無利有反奪傷人之變而不爭君命雖宜從之知有內御不利之害
而不受此五變者臨時制宜不可預定貪五利者途近則由軍勢孤
則擊城勢危則攻地可取則爭軍可用則受命貪此五利不知其變
豈惟不得人用抑亦敗軍傷士也○梅堯臣曰知利不知變安得人

而用○王晳曰雖知五地之利不通其變如膠柱鼓瑟耳○張預曰凡兵有利有變知利而不識變豈能得人之用曹公言下五事爲五利者謂九變之下五事也非謂雜於利害已下五事也

是故智者之慮必雜於利害

曹操曰在利思害在害思利當難行權也○李筌曰害彼利此之慮○賈林曰雜一爲親一爲難言利害相參雜智者能慮之慎之乃得其利也○梅堯臣曰同曹操註○王晳曰將通九變則利害盡矣○張預曰智者慮事雖處利地必思所以害雖處害地必思所以利此亦通變之謂也

雜於利而務可信也

曹操曰計敵不能依五地爲我害所務可信也○杜牧曰信申也言我欲取利於敵人不可但見取敵人之利先須以敵人害我之事參雜而計量之然後我所務之利乃可申行也○賈林曰在利之時則思害以自慎一云以害雜利行之威令以臨之刑法以戮之已不二三則衆務皆信人不敢欺也○梅堯臣曰以害參利則事可行○王晳曰曲盡其利則可勝矣○張預曰以所害而參所利可以伸己之事鄭師克蔡國人皆喜惟子產懼曰小國無文

德而有武功禍莫大焉後楚果伐鄭此是在利思害也

雜於害而患可解也

曹操曰既參於利則亦計於害雖有患可解也○李筌曰智者爲利害之事必合於道不至於極○杜牧曰我欲解敵人之患不可但見敵能害我之事亦須先以我能取敵人之利參雜而計量之然後有患乃可解釋也故上文云智者之慮必雜於利害也譬如敵人圍我我若但知突圍而去志必懈怠即必爲追擊未若勵士奮擊因戰勝之利以解圍也舉一可知也○賈林曰在害之時則思利而免害故措之死地則生投之亡地則存是其患解也○梅堯臣曰以利參害則禍可脫○王晳曰周知其害則不敗矣○何氏曰利害相生明者常慮○張預曰以所利而參所害可以解己之難張方入洛陽連戰皆敗或勸方宵遁方曰兵之利鈍是常貴因敗以爲成耳夜潛進逼敵遂致克捷此是在害思利也

是故屈諸侯者以害

曹操曰害其所惡也○李筌曰害其政也○杜牧曰惡音一路反言敵人苟有其所惡之事我能乘而害之不失其機則能屈敵也○賈林曰爲害之計理非一途或誘其賢智令彼無臣或遺以

[illegible]

[illegible]雜[illegible]而[illegible]可解也[illegible]

[illegible]

姦人破其政令或爲巧詐間其君臣或遺工巧使其人疲財耗或饋淫樂變其風俗或與美人惑亂其心此數事若能潛運陰謀密行不洩皆能害人使之屈折也○梅堯臣曰制之以害則屈也○王晳曰窮屈於必害之地勿使可解也○張預曰致之於受害之地則自屈服或曰間之使君臣相疑勞之使民失業所以害之也若韋孝寬間斛律光高熲平陳之策是也

役諸侯者以業

曹操曰業事也使其煩勞若彼入我出彼出我入也○李筌曰煩其農也○杜牧曰言勞役敵人使不得休我須先有事業乃可爲也事業者兵衆國富人和令行也○杜佑曰能以事勞役諸侯之人令不得安佚韓人令秦鑿渠之類是也或以奇技藝業淫巧功能令其耽之心目內役諸侯若此而勞○梅堯臣曰撓之以事則勞○王晳曰常若爲攻襲之業以弊敵也田常曰吾兵業已加魯矣○張預曰以事勞之使不得休或曰壓之以富彊之業則可役使若晉楚國彊鄭人以犧牲王帛奔走以事之是也

趨諸侯者以利

曹操曰令自來也○李筌曰誘之以利○杜牧曰言以利誘之使自來至我也墮吾畫中○孟氏曰趨速也善示以利令忘變而速至我作變以制之亦謂得人之用也○梅堯臣同杜牧註○王晳曰趨敵之間當周旋我利也○張預曰動之以小利使之必趨

故用兵之法無恃其不來恃吾有以待也

梅堯臣曰所恃者不懈也

無恃其不攻恃吾有所不可攻也

曹操曰安不忘危常設備也○李筌曰預備不可闕也○杜佑曰安則思危存則思亡常有備○梅堯臣曰所賴者有備也○王晳曰備者實也○何氏曰兵略曰君子當安平之世刀劍不離身古諸侯相見兵衞不徹警蓋雖有文事必有武備況守邊固圉交刃之際歟凡兵所以勝者謂擊其空虛襲其懈怠苟嚴整終事則敵人不至傳曰不備不虞不可以師昔晉人禦秦深壘固軍以待之秦師不能久楚爲陳而吳人至見有備而返程不識將屯正部曲行伍營陳擊刁斗吏治軍簿虜不得犯朱然爲軍師雖世無事每朝夕嚴鼓兵在營者咸行裝就隊使敵不知所備故出輒有功是謂能外禦其侮者乎常能居安思危在治思亂戒之於無形防之於未然斯善者也其

次莫如險其走集明其伍候慎固其封守繕完其溝隍或多調軍食
或益修戰械故曰物不素具不可以應卒又曰惟事事乃其有備有
備無患常使彼勞我佚彼老我壯亦可謂先人有奪人之心不戰而
屈人之師也若夫莒以恃陋而潰齊以狎敵而殲虢以易晉而亡魯
以果鄰而敗莫敖小羅而無次吳子入巢而自輕斯皆可以作鑒也
故吾有以待吾有所不可攻者能豫備之之謂也○張預曰言須思
患而預防之傳曰不備不虞不可以師

故將有五危

李筌張預曰下五事也

必死可殺也

曹操曰勇而無慮必欲死鬬不可曲撓可以奇伏中之○李筌曰勇而無謀也○杜牧曰將愚而勇者患也黃石公曰勇
者好行其志愚者不顧其死吳子曰凡人之論將常觀於勇勇之於
將乃數分之一耳夫勇者必輕合輕合而不知利未可將也○梅堯
臣同李筌註○何氏曰司馬法曰上死不勝言貴其謀勝也○張預
曰勇而無謀必欲死鬬不可與力爭當以奇伏誘致而殺之故司馬
法曰上死不勝言將無策略止能以死先士卒則不勝也

必生可虜也

曹操曰見利畏法不進也○李筌曰

疑怯可虜也○杜牧曰晉將劉裕泝江追桓玄戰于崢嶸洲于時義
軍數千玄兵甚盛而玄懼有敗衂常漾輕舸於舫側故其衆莫有鬬
心義軍乘風縱火盡銳爭先玄衆是以大敗也○孟氏曰將之怯弱
志必生返意不親戰士卒不精上下猶豫可急擊而取之新訓曰為
將怯懦見利而不能進太公曰失利後時反受其殃○梅堯臣曰怯
而不果○王晳曰無鬬志曹公曰見利怯不進也晳謂見害亦輕走
矣○何氏曰司馬法曰上生多疑疑為大患也○張預曰臨陳畏怯
必欲生返當鼓譟乘之可以虜也晉楚相攻晉將趙嬰齊令其徒先
具舟於河欲敗而先濟是也

忿速可侮也

曹操曰疾急之人可忿怒侮而致之也○李筌曰急疾之人性
剛而可侮致也太宗殺宋老生而平霍邑○杜牧曰忿者剛怒也速
者褊急也性不厚重也若敵人如此可以陵侮使之輕進而敗之也
十六國姚襄攻黃落前秦苻生遣苻黃眉鄧羌討之襄深溝高壘固
守不戰鄧羌說黃眉曰襄性剛很易以剛動若長驅鼓行直壓其壘
必忿而出師可一戰而擒也黃眉從之襄怒出戰黃眉等斬之○杜
佑曰急疾之人可忿怒而致死忿速易怒者狷戇疾急不計其難可

動作欺侮○梅堯臣曰狷急易動○王晳曰將性貴持重忿狷則易撓○張預曰剛愎褊急之人可凌侮而致之楚子玉剛忿晉人執其使以怒之果從晉師遂爲所敗是也**廉潔可辱也**曹操曰廉潔之人可汙辱致之也○李筌曰矜疾之人可辱也○杜佑曰此言敵人若高壁固壘欲老我師我勢不可留利在速戰揣知其將多忿急則輕侮而致之性本廉潔則汙辱之如諸葛孔明遺司馬仲達以巾幗欲使怒而出戰仲達忿怒欲濟師魏帝遣辛毗仗節以止之仲達之才猶不勝其忿況常才之人乎○梅堯臣曰徇名不顧○王晳同曹操註○張預曰清潔愛民之士可垢辱以撓之必可致也**愛民可煩也**曹操曰出其所必趨愛民者則必倍道兼行以救之救之則煩勞也○李筌曰攻其所愛必卷甲而救愛其人乃可以計疲○杜牧曰言仁人愛人者惟恐殺傷不能捨短從長棄彼取此不度遠近不量事力凡爲我攻則必來救如此可以煩之令其勞頓而後取之也○陳皥曰兵有須救不必救者項羽救趙此須救也亞父委梁不必救也○賈林曰廉潔之人不好侵掠愛人之仁不好鬭戰辱而煩之其動必敗○梅

堯臣曰力疲則困○王晳曰以奇兵若將攻城邑者彼愛民必數救則煩勞也○張預曰民雖可愛當審利害若無微不救無遠不援則出其所必趨使煩而困也**凡此五者將之過也用兵之災也**陳皥曰良將則不然不必死不必生隨事而用不忿速不恥辱見可如虎否則閉戶動靜以計不可喜怒也○梅堯臣曰皆將之失爲兵之凶○何氏曰將材古今難之其性往往失於一偏爾故孫子首篇言將者智信仁勇嚴貴其全也○張預曰庸常之將守一而不知變故取則於已爲凶於兵智者則不然雖勇而不必死雖怯而不必生雖剛而不可侮雖廉而不可辱雖仁而不可煩也**覆軍殺將必以五危不可不察也**賈林曰此五種之人不可任爲大將用兵必敗也○梅堯臣曰當慎重焉○張預曰言須識權變不可執一道也

行軍篇

曹操曰擇便利而行也○王晳曰行軍當據地便察敵情也○張預曰知九地之變然後

可以擇利而行
軍故次九變
孫子曰凡處軍相敵王晳曰處軍凡有四相敵凡三十有一○張預曰自絕山依谷至伏姦之
所處則處軍之事也自敵近而靜至必謹察之則相敵之事也相猶察也料也絕山依谷曹操曰近水草利便也○
李筌曰軍我敵彼也相其依止則勝敗之數彼我之勢可知也絕山
守險也谷近水草夫列營壘必先分卒守隘縱畜牧收樵採而後寧
○杜牧曰絕過也依近也言行軍經過山險須近谷而有水草之利
也吳子曰無當天竈大谷之口言不可當谷但近谷而處可也○賈
林曰兩軍相當敵宜擇利而動絕山跨山依谷傍谷也跨山無後患
依谷有水草也○梅堯臣曰前爲山所隔則依谷以爲固○王晳曰
絕度也依謂附近耳曹公曰近水草便利也○張預曰絕猶越也凡
行軍越過山險必依附溪谷而居一則利水草一則負險固後漢武
都羌爲寇馬援討之羌在山上援據便地奪其
水草不與戰羌窮困悉降羌不知依谷之利也視生處高曹操曰生

者陽也○李筌曰向陽曰生在山曰高生高之地可居也○杜牧曰言
須處高而面南也○陳皥曰若地有東西其法何如答曰然則面東
也○賈林曰居陽曰生視生爲無蔽冒物色處軍當在高○杜佑曰
高陽也視謂目前生地處軍當在高○梅堯臣曰若在陵之上必向
陽而居處高乘便也○張預曰
視生謂面陽也處軍當在高阜戰隆無登曹操曰無迎高也○李筌曰敵自高而下
我無登而取之○杜牧曰隆高也言敵人在高我不可自下往高迎
敵人而接戰也一作戰降無登降下也○賈林曰戰宜乘下不可迎
高也○杜佑曰無迎高也謂山下也戰於山下敵引之上山無登逐
也○梅堯臣曰敵處地之高不可登而戰○張預曰敵處隆高之地
不可登迎與戰一本作戰降無登迎謂
敵下山來戰引我上山則不可登迎此處山之軍也梅堯臣曰
處山當知此三者○張預曰凡高而崇
者皆謂之山處山拒敵以上三事爲法絕水必遠水曹操李筌曰引
敵使渡○杜牧曰魏將郭淮在漢中蜀主劉備欲渡漢水來攻諸將
議衆寡不敵欲依水爲陳以拒之淮曰此示弱而不足挫敵不如遠

水爲陳引而致之半濟而後擊備可破也既列陳備疑不敢渡○梅堯臣曰前爲水所隔則遠水以引敵○王晳曰我絶水也曹説是也○張預曰凡行軍過水欲舍止者必去水稍遠一則引敵使渡一則進退無礙郭淮遠水爲陳劉備悟之而不渡是也

客絶水而來勿迎之於水内令半濟而擊之利李筌曰韓信殺龍且於濰水夫槩敗楚子於清發是也○杜牧曰楚漢相持項羽自擊彭越令其大司馬曹咎守成臯漢軍挑戰咎涉汜水戰漢軍候半涉擊大破之水内乃汭也誤爲内耳○梅堯臣曰敵之方來迎於水濱則不渡○王晳曰内當作汭迎於水汭則敵不敢濟遠則趨利不及當得其宜也○何氏曰如春秋時宋公及楚人戰于泓宋人既成列楚人未既濟司馬曰彼衆我寡及其未既濟也請擊之公曰不可既濟而未成列又以告公曰未可既陳而後擊之宋師敗績公傷股門官殲焉宋公違之故敗也吳伐楚楚師敗及清發將擊之夫槩王曰困獸猶鬭況人乎若知不免而致死必敗我若使先濟者知免後者慕之蔑有鬭心矣半濟而後可擊也從之又敗之魏將郭淮在漢中蜀主劉備欲渡漢水來攻時諸將等議曰衆寡不敵欲依水爲陳以拒之淮曰此則示弱而不足以挫敵非筭也不如遠水爲陳引而致之半濟而後擊備可破也既陳備疑不敢渡唐武德中薛萬均與羅藝守幽燕竇建德率衆十萬寇范陽萬均謂藝曰衆寡不敵今若出鬭百戰百敗當以計取之可令羸兵弱馬阻水背城爲陳以誘之賊若渡水交兵請公精騎百人伏於城側待其半渡而擊之從之建德渡水萬均擊破之○張預曰敵若引兵渡水來戰不可迎之於水邊候其半濟行列未定首尾不接擊之必勝公孫瓚敗黄巾賊於東光薛萬均破竇建德於范陽皆用此術也

欲戰者無附於水而迎客曹操曰附近也○李筌曰附水迎客敵必不得渡而與我戰○杜牧曰言我欲用戰不可近水迎敵恐敵人疑我不渡也義與上同但客主詞異耳○杜佑曰附近也近水待敵不得渡也○梅堯臣曰必欲戰亦莫若遠水○王晳曰我利在戰則當差遠使敵必渡而與之戰也○張預曰我欲必戰勿近水迎敵恐其不得渡我不欲戰則阻水拒之使不能濟晉將陽處父與楚將子上夾泜水而軍陽子退舍欲使楚人渡

子上亦退舍欲令晉師渡遂皆不戰而歸**視生處高**曹操曰水上亦當處其高也前向水後當依高而處之○梅堯臣曰水上亦據高而向陽○王晳曰曹公曰水上亦當處其高晳謂非謂近水之地下曹註云恐溉我也疑當在此下○何氏曰視生向陽遠視也軍處高遠見敵勢則敵人不得潛來出我不意也○張預曰或岸邊爲陳或水上泊舟皆須面陽而居高**無迎水流**曹操曰恐溉我也○李筌曰恐溉我也智伯灌趙襄子光武潰王尋迎水處高乃敗之○杜牧曰水流就下不可於卑下處軍也恐敵人開決灌浸我也上文云視生處高也諸葛武侯曰水上之陳不逆其流此言我軍舟船亦不可泊於下流言敵人得以乘流而薄我也○賈林曰水流之地可以溉吾軍可以流毒藥迎逆也一云逆流而營軍兵家所忌○梅堯臣曰無軍下流防其決灌舳艫之戰逆亦非便○王晳曰當乘上流魏曹仁征吳欲攻濡須洲中蔣濟曰賊據西岸列船上流而兵入洲中是謂自內地獄危亡之道也仁不從而敗○何氏曰順流而戰則易爲力○張預曰卑地勿居恐決水溉我舟戰亦不可處下流以彼沿我泝戰不便也兼慮敵人投毒於上流楚令尹拒吳卜戰不吉司馬子魚曰我得上流何故不吉遂決戰果勝是軍須居上流也**此處水上之軍也**梅堯臣曰處水上當知此五者○張預曰凡近水爲陳皆謂水上之軍水上拒敵以上五事爲法**絶斥澤惟亟去無留**陳皥曰斥鹹鹵之地水草惡漸洳不可處軍新訓曰地固斥澤不生五穀者是也○賈林曰鹹鹵之地多無水草不可久留○梅堯臣曰斥遠也曠蕩難守故不可留○王晳曰斥鹵也地廣且下而無所依○張預曰刑法志云山川沈斥顏師古註曰沈深水之下斥鹹鹵之地然則斥澤謂瘠鹵漸洳之所也以其地氣濕潤水草薄惡故宜急過**若交軍於斥澤之中必依水草而背衆樹**曹操曰不得已與敵會於斥澤中○李筌曰急過不得戰必依水背樹夫有水樹其地無陷溺也○杜牧曰斥鹵之地草木不生謂之飛鋒言於此忽遇敵即須擇有水草林木而止之○杜佑曰一本作背衆木言不得已與敵戰而會斥澤之中當背稠樹以爲固守蓋地利兵之助也○梅堯臣曰不得已

而會敵則依近水草背倚衆木○王晳曰猝與敵遇於此亦必就利而背固也○張預曰不得已而會兵於此地必依近水草以便樵汲背倚林木以爲險阻**此處斥澤之軍也**梅堯臣曰處斥澤當知此二者○張預曰處斥澤之地以上二事爲法**平陸處易**曹操曰車騎之利也○杜牧曰言於平陸必擇就其中坦易平穩之處以處軍使我車騎得以馳逐○王晳同曹操註○何氏同杜牧註○張預曰平原廣野車騎之地必擇其坦易無坎陷之處以居軍所以利於馳突也**而右背高前死後生**曹操曰戰便也○李筌曰夫人利用皆便於右是以背之前死致敵之地後生我自處○杜牧曰太公曰軍必左川澤而右丘陵死者下也生者高也下不可以禦高故戰便於軍馬也○賈林曰岡阜曰生戰地曰死後岡阜處軍穩前臨地用兵便高在右回轉順也○梅堯臣曰擇其坦易車騎便利右背丘陵勢則有憑前低後隆戰者所便○王晳曰凡兵皆宜向陽既後背山即前生後死疑文誤也○張預曰雖是平陸須有高阜必右背之所以恃爲形勢者也前低後高所以便乎奔擊也**此處平陸之軍也**梅堯臣曰處平陸當知此二者○張預曰居平陸之地以上二事爲法○**凡此四軍之利**李筌曰四者山水斥澤平陸也○張預曰山水斥澤平陸之四軍也諸葛亮曰山陸之戰不升其高水上之戰不逆其流草上之戰不涉其深平地之戰不逆其虛此兵之利也**黄帝之所以勝四帝也**曹操曰黄帝始立四方諸侯無不稱帝以此四地勝之也○李筌曰黄帝始受兵法於風后而滅四方故曰勝四帝也○梅堯臣曰四帝當爲四軍字之誤歟言黄帝得四者之利處山則勝山處水上則勝水上處斥澤則勝斥澤處平陸則勝平陸也○王晳曰四帝或曰當作四軍曹公曰黄帝始立四方諸侯無不稱帝以此四地勝之也一本無作亦○何氏曰梅氏之説得之○張預曰黄帝始立四方諸侯亦稱帝以此四地勝之按史記黄帝紀云與炎帝戰於阪泉與蚩尤戰於涿鹿北逐葷粥又太公六韜言黄帝七十戰而定天下此即是有四方諸侯戰也兵家之法皆始於黄帝故云然也**凡軍好高而惡下**

梅堯臣曰高則爽塏所以安和亦以便勢下則卑濕所以生疾亦以難戰○王晳曰有降無登且遠水患也○張預曰居高則便於覘望利於馳逐處下則難以爲固易以生疾

貴陽而賤陰

梅堯臣曰處陽則明順處陰則晦逆○王晳曰久處陰濕之地則生憂疾且弊軍器也○張預曰東南爲陽西北爲陰

養生而處實

曹操曰恃滿實也養生向水草可放牧養畜乘實猶高也○梅堯臣曰養生便水草處實利糧道○王晳曰養生謂水草糧糒之屬處實者倚固之謂○張預曰養生謂就善水草放牧也處實謂倚隆高之地以居也

軍無百疾是謂必勝

李筌曰夫人處卑下必癘疾惟高陽之地可居也○杜牧曰生者陽也實者高也言養之於高則無卑濕陰翳故百疾不生然後必可勝也○梅堯臣曰能知上三者則勢勝可必疾氣不生○張預曰居高面陽養生處厚可以必勝地氣乾熯故疾癘不作

丘陵隄防必處其陽而右背之

杜牧曰凡遇丘陵隄防之地常居其東南也○梅堯臣曰雖非至高亦當前向明而右依實○王晳曰處陽則人舒以和器健以利也○張預曰面陽所以貴明顯背高所以爲險固

此兵之利地之助也

梅堯臣曰兵所利者得形勢以爲助○張預曰用兵之利得地之助

上雨水沫至欲涉者待其定也

曹操曰恐半涉而水遽漲也○李筌曰恐水暴漲○杜牧曰言過溪澗見上流有沫此乃上源有雨待其沫盡水定乃可涉不爾半涉恐有瀑水卒至也○杜佑曰恐半渡水而遂漲上雨水當清而反濁沫至此敵人權過水之占也欲以中絕軍凡地有水欲漲沫先至皆爲絕軍當待其定也○梅堯臣曰流沫未定恐有暴漲○王晳曰水漲則沫涉步濟也曹說是也○張預曰渡未及畢濟而大水忽至也沫謂水上泡漚

凡地有絕澗

前後嶮峻水橫其中

天井

四面峻坂澗壑所歸

天牢

三面環絕易入難出

天羅

草木蒙密鋒鏑莫施

天陷

卑下汙濘車騎不通

天隙

兩山相向洞道狹惡六害皆梅堯臣注

必亟去之勿近也

曹操曰山

深水大者爲絶澗中方高中央下爲天井深山所過若蒙籠者爲天
牢可以羅絶人者爲天羅地形陷者爲天陷山澗道迫狹地形深數
尺長數丈者爲天隙○杜牧曰軍讖曰地形㘭下大水所及謂之天
井山澗迫狹可以絶人謂之天牢澗水澄闊不測淺深道路泥濘人
馬不通謂之天陷地多溝坑坎陷木石謂之天隙林木隱蔽葭葦深
遠謂之天羅○賈林曰兩岸深闊斷人行爲絶澗下中之下爲天井
四邊澗險水草相兼中央傾側出入皆難爲天牢道路崎嶇或寬或
狹細澀難行爲天羅地多沮洳爲天陷兩邊險絶形狹長而數里中
間難通人行可以絶塞出入爲天隙此六害之地不可近背也○梅
堯臣曰六害尚不可近況可留乎○王晳曰晳謂絶澗當作絶天澗
脫天字耳此六者皆自然之形也牢謂如獄牢羅謂如網羅也陷謂
溝坑淤濘之屬隙謂木石若隙罅之地軍行過此勿近不然則脫有
不虞智力無所施也○張預曰谿谷深峻莫可過者爲絶澗外高中
下衆水所歸者爲天井山險環繞所入者隘爲天牢林木縱橫葭葦
隱蔽者爲天羅陂池泥濘漸車凝騎者爲天陷道路迫
狹地多坑坎者爲天隙凡遇此地宜遠過不可近之

吾遠之

敵近之吾迎之敵背之

曹操曰用兵常遠六害令敵近
背之則我利敵凶○李筌曰善
用兵者致敵之受害之地也○杜牧曰迎向也背倚也言遇此六害
之地吾遠之向之則進止自由敵人近之倚之則舉動有阻故我利
而敵凶也○梅堯臣曰言六害當使我遠而敵附我向而敵倚則我
利敵凶○張預曰六害之地我既遠之向之敵自近之倚之我則行
止有利彼則進退多凶也

軍行有險阻潢井葭葦山林蘙薈者

必謹覆索之此伏姦之所處也

曹操曰險者一高一
下之地阻者多水也
潢者池也井者下也葭葦者衆草所聚山林者衆木所居也蘙薈者
可屏蔽之處也此以上論地形也以下相敵情也○李筌曰以下恐
敵之奇伏誘詐也○梅堯臣曰險阻隘也山林之所產潢井下也葭
葦之所生皆蘙薈足以蒙蔽當掩搜恐有伏兵○張預曰險阻丘阜
之地多生山林潢井卑下之處多產葭葦皆蘙薈可以蒙蔽必降索
之恐兵伏其中又慮姦細潛隱覘我虛實聽我號令伏姦當爲兩事

敵近而靜者恃其險也梅堯臣曰近而不動倚險故也○王晳曰恃險故不恐也遠而挑戰者欲人之進也杜牧曰若近以挑我則有相薄之勢恐我不進故遠也○陳皥曰敵人相近而不挑戰恃其守險也若遠而挑戰者欲誘我使進然後乘利而奮擊也○梅堯臣同陳皥註○王晳曰欲致人也挑謂擿驍敵求戰○張預曰兩軍相近而終不動者倚恃險固也兩軍相遠而數挑戰者欲誘我之進也尉繚子曰分險者無戰心言敵人先分得險地則我勿與之戰也又曰挑戰者無全氣言相去遠則挑戰而延誘我進即不可以全氣擊之與此法同也其所居易者利也曹操曰所居利也○李筌曰居勿之地致人之利○杜牧曰言敵不居險阻而居平易必有以便利於事也一本云士爭其所居者易利也○陳皥曰言敵人得其地利則將士爭以居之也○賈林曰敵之所居地多便利故挑我使前就己之便戰則易獲其利慎勿從之也○梅堯臣曰所居易利故來挑戰○王晳同曹操註○張預曰敵人捨險而居易者必有利也或曰敵欲

人之進故處於平易以示利而誘我也衆樹動者來也曹操曰斬伐樹木除道進來故動○梅堯臣同曹操註○張預曰凡軍必遣善視者登高覘敵若見林木動搖者是斬木除道而來也或曰不止除道亦將爲兵器也若晉人伐木益兵是也衆草多障者疑也曹操曰結草爲障欲使我疑也○杜牧曰言敵人或營壘未成或拔軍潛去恐我來追或爲掩襲故結草使往往相聚如有人伏藏之狀使我疑而不敢進也○賈林曰結草多爲障蔽者欲使我疑之於中兵必不實欲別爲攻襲宜審備之○杜佑曰結草多障欲使我度稠草中多障蔽者敵必避去恐追及多作障蔽使人疑有伏焉○張預曰或敵欲追我多爲障蔽設留形而遁以避其追或欲襲我叢聚草木以爲人屯使我備東而擊西皆所以爲疑也鳥起者伏也曹操曰鳥起其上下有伏兵○李筌曰藏兵曰伏○杜佑曰下有伏兵往藏觸鳥而驚起也○張預曰鳥適平飛至彼忽高起者下有伏兵也獸駭者覆也曹操曰敵廣陳張翼來覆我也○李筌曰不意而至曰覆○杜牧曰凡敵

欲覆我必由他道險阻林木之中故驅起伏獸駭逸也覆者來襲我也○陳皡曰覆者謂隱於林木之內潛來掩我候兩軍戰酣或出其左右或出其前後若驚駭伏獸也○梅堯臣曰獸驚而奔旁有覆○張預曰凡欲掩覆人者必由險阻草木中來故驚起伏獸奔駭也○

塵高而銳者車來也杜牧曰車馬行疾仍須魚貫故塵高而尖○杜佑曰車馬行疾塵相衝故高也○梅堯臣曰蹄輪勢重塵必高銳○張預曰車馬行疾而勢重又轍迹相次而進故塵埃高起而銳直也凡軍行須有探候之人在前若見敵塵必馳報主將如潘黨望晉塵使騁而告是也

卑而廣者徒來也杜牧曰步人行遲可以並列故塵低而闊也○梅堯臣曰人步低輕塵必卑廣○王晳曰車馬起塵猛步人則差緩也○張預曰徒步行緩而迹輕又行列疏遠故塵低而來

散而條達者樵採也李筌曰煙塵之候晉師伐齊曳柴從之齊人登山望而畏其衆乃夜遁薪來即其義也此筌以樵採二字為薪來字○杜牧曰樵採者各隨所向故塵埃散衍條達縱橫斷絕貌也○梅堯臣曰樵

採隨處塵必縱橫○王晳曰條達纖微斷續之貌○張預曰分遣厮役隨處樵採故塵埃散亂而成隧道

少而往來者營軍也杜牧曰欲立營壘以輕兵往來為斥候故塵少也○梅堯臣曰輕兵定營往來塵少○張預曰凡分柵營者必遣輕騎四面近視其地欲周知險易廣狹之形故塵微而來

辭卑而益備者進也曹操曰其使來卑辭使間視之敵人增備也○杜牧曰言敵人使來言辭卑遜復增壘塗壁若懼我者是欲驕我使懈怠必來攻我也趙奢救閼與去邯鄲三十里增壘不進秦間來必善食遣之間以報秦將秦將果大喜曰閼與非趙所有矣奢既遣秦間乃倍道兼行掩秦不備擊之遂大破秦軍也○梅堯臣曰欲進者外則卑辭內則益備款我也○張預曰使來辭遜敵復增備欲驕我而後進也田單守即墨燕將騎劫圍之單身操版插與士卒分功使妻妾編行伍之間散食饗士乃使女子乘城約降燕大喜又收民金千鎰令富豪遺使遺燕將書曰城即降願無虜妻妾燕人益懈乃出兵擊大破之

辭彊而進驅者退也曹操曰詭詐也

[illegible]之[illegible]也[illegible]

[illegible]言[illegible]也[illegible]

[illegible]乎[illegible]而[illegible]言[illegible]也[illegible]

[illegible]故而修達之[illegible]深也[illegible]

[illegible]理而[illegible]言[illegible]本也[illegible]

[illegible]言而[illegible]木也[illegible]

○杜牧曰吳王夫差北征會晉定公於黃池越王句踐伐吳吳晉方
爭長未定吳王懼乃合大夫而謀曰無會而歸與會而先晉孰利王
孫雒曰必會而先之吳王曰先之若何雒曰今夕必挑戰以廣民心
乃能至也於是吳王以帶甲三萬人去晉軍一里聲動天地晉使董
褐視之吳王親對曰孤之事君在今日不得事君亦在今日董褐曰
臣觀吳王之色類有大憂吳將毒我不可與戰乃許先歃吳王既會
遂還焉○杜佑曰詭詐驅馳示無所畏是知欲退也○梅堯臣曰欲
退者使既詞壯兵又彊進脅我也○王晳曰辭彊示進形欲我不虞
其去也○張預曰使來辭壯軍又前進欲脅我而求退也秦行人夜
戒晉師曰兩軍之士皆未憖也來日請相見晉臾駢曰使者目動而
言肆懼我也秦果宵遁

輕車先出居其側者陳也 曹操曰陳兵欲戰也○杜牧曰
出輕車先定戰陳疆界也○賈林曰輕車前禦欲結陳而來也○張
預曰輕車戰車也出軍其旁陳兵欲戰也按魚麗之陳先偏後伍言
以車居前以伍次之然則
是欲戰者車先出其側也

無約而請和者謀也 李筌曰無質盟之約

請和者必有謀於人田單詐騎劫紀信誑項羽即其義也○杜牧曰
貞元三年吐蕃首領尚結贊因侵掠河曲遇疫癘人馬死者太半恐
不得回乃詐與侍中馬燧款懇因奏請盟會燧乃盟之時河中節度
使渾瑊奏曰若國家勸兵境上以謀伐為計蕃戎請盟亦聽信之今
吐蕃無所求於國家遽請盟會必恐不實上不納渾瑊率衆二萬屯
涇州平涼縣盟壇在縣西三十里五月十三日瑊率三千人會壇所
吐蕃果衷甲劫盟焉○陳皥曰因盟相劫不獨國朝晉楚會於宋楚
人衷甲欲襲晉晉人知之是以失信也今言無約而請和蓋總論兩
國之師或侵或伐彼我皆未屈弱而無故請和好者此必敵人國內
有憂危之事欲為苟且暫安之計不然則知我有可圖之勢欲使不
疑先求和好然後乘我不備而來取也石勒之破王浚也先密為和
好又臣服於浚知浚不疑乃請修朝覲之禮浚許之及入因誅浚而
滅之○杜佑曰未有要約而便來請和有間謀也○梅堯臣曰無約
請和必有姦謀○王晳曰無故驟請和者宜防他謀也○張預曰無
故請和必有姦謀漢高祖欲擊秦軍使酈食其持重寶啗其將賈豎
秦將果欲連和高祖因其怠而擊之秦師大敗又晉將李矩守滎陽

[illegible]

論語[illegible]

[illegible]

劉暢以三萬人討之，矩遣使奉牛酒請降，潛匿精兵，見其弱卒。暢大饗士卒，人皆醉飽，矩夜襲之，暢僅以身免。

奔走而陳兵車者，期也。 李筌曰：戰有期，及將用，是以奔走之。○杜牧曰：上文輕車先出居其側者，陳也，蓋先出車定戰場界，立旗爲表，奔走赴表，以爲陳也。旗者期也，與民期於下也。周禮大蒐曰：車驟徒趨，及表乃止，是也。○賈林曰：尋常之期，不合奔走，必有遠兵相應，有晷刻之期，必欲合勢同來攻我，宜速備之。○梅堯臣曰：立旗爲表，奔以赴列。○王晳曰：陳而期民，將求戰也。○張預曰：立旗爲表，與民期於下，故奔走以赴之。周禮曰：車驟徒趨，及表乃止，是也。

半進半退者，誘也。 李筌曰：散於前。○杜牧曰：僞爲雜亂不整之狀，誘我使進也。○梅堯臣曰：進退不一，欲以誘我。○王晳曰：詭亂形也。○張預曰：詐爲亂形，是誘我也。若吳子以囚徒示不整以誘楚師之類也。

杖而立者，飢也。 李筌曰：困不能齊。○杜牧曰：不食必困，故杖也。一本從此仗字。○杜佑曰：倚仗矛戟而立者，飢之意。○梅堯臣曰：倚兵而立者，足見飢弊之色。○王晳曰：倚仗者，困餒之相。○張預曰：凡人不食則困，故倚兵器而立。三軍飲食，上下同時，故一人飢則三軍皆然。

汲而先飲者，渴也。 李筌曰：汲未至，先飲者，士卒之渴。○杜牧曰：命之汲水，未及而先取者，渴也。觀一人，三軍可知也。○梅堯臣同杜牧註。○王晳曰：以此見其衆行驅飢渴也。○張預曰：汲者未及歸營而先飲水，是三軍渴也。

見利而不進者，勞也。 曹操曰：士卒之疲勞也。○李筌曰：士卒難用也。○杜佑曰：士疲倦也。敵人來見我利而不能擊進者，疲勞也。○梅堯臣曰：人其困矣，何利之趨。○張預曰：士卒疲勞，不可使戰，故雖見利，將不敢進也。

鳥集者，虛也。 李筌曰：城上有鳥，師其遁也。○杜牧曰：設留形而遁。齊與晉相持，叔向曰：烏烏之聲樂，齊師其遁。後周齊王憲伐高齊，將班師，乃以柏葉爲幕，燒糞壤，去。高齊視之，二日乃知其空營，追之不及。此乃設留形而遁走也。○陳皥曰：此言敵人若去營幕，必空，禽鳥既無猜，乃鳴集其上。楚子元伐鄭，將奔，諜者告曰：楚幕有烏，乃止。則知其是設留形而遁也。此篇蓋孫子辨敵之情僞也。○杜佑曰：敵大作營壘，示我衆，而鳥集止其中者，虛也。○梅堯臣曰

敵人既去營壘空虛鳥烏無猜來集其上○張預曰凡敵潛退必存
營幕禽鳥見空鳴集其上楚伐鄭鄭人將奔諜告曰楚幕有烏乃止
又晉伐齊叔向曰城上有烏齊師其遁此乃設留形而遁也
夜呼者恐也
曹操曰軍士夜呼將不勇也○
李筌曰士卒怯而將懦故驚恐相呼○杜牧曰恐懼不安故夜呼以
自壯也○陳皡曰十人中一人有勇雖九人怯懦恃一人之勇亦可
自安今軍士夜呼蓋是將無勇曹說是也○孟氏同陳皡註○張預
曰三軍以將爲主將無膽勇不能安衆故士卒恐懼而夜呼若晉軍
終夜有聲是也
軍擾者將不重也
李筌曰將無威重則軍擾○杜牧曰言進退舉止輕佻率易無
威重軍士亦擾亂也○陳皡曰將法令不嚴威容不重士因以擾亂
也○梅堯臣同陳皡註○張預曰軍中多驚擾者將不持重也張遼
屯長社夜軍中忽亂一軍盡擾遼謂左右勿動是必有造變者欲以
動亂人耳乃令軍士安坐遼中陳而立有頃即定此則能持重也○
旌旗動者亂也
杜牧曰魯莊公敗齊于長勺曹劌請逐之公曰若何對曰視其轍亂而旗靡故逐之○杜

佑曰旌旗謬動抵東觸西傾倚者亂也○梅堯臣曰旌旗輒動傴亞
不次無紀律也○張預曰旌旗所以齊衆也而動搖無定是部伍雜
亂也
吏怒者倦也
杜牧曰衆悉倦弊故吏不畏而忿怒也○陳皡曰將與不急之役故人人倦弊也○賈林
曰人困則多怒○梅堯臣曰吏士倦煩怒不畏避也○張預曰政令
不一則人情倦故吏多怒也晉楚相攻晉裨將趙旃魏錡怒而欲敗
晉軍皆奉命于楚郤克曰二憾往矣弗備必敗是也
粟馬肉食軍無懸缻不返其舍者窮寇也
一云殺馬肉食者軍無糧也軍無懸缻不返其舍者窮寇也○李筌曰殺其馬而食肉故
曰軍無糧也不返舍者窮迫不及竈也○杜牧曰粟馬言以糧穀秣
馬也肉食者殺牛馬饗士也軍無懸缻者悉破之示不復炊也不返
其舍者晝夜結部伍也如此皆是窮寇必欲決一戰爾缻音府炊器
也○梅堯臣曰給糧以秣乎馬殺畜以饗乎士棄缻不復炊暴露不
返舍是欲決戰而求勝也○王晳曰粟馬肉食所以爲力且久也軍
無缻不復飲食也不返舍無回心也皆謂以死決戰耳敵如此者當

[illegible]

人含責父害也 [illegible]

[illegible]

吏欲其治也 [illegible]

[illegible]

堅守以待其弊也○張預曰捐糧穀以秣馬殺牛畜以饗士破釜及甑不復炊爨暴露兵衆不復反舍茲窮寇也孟明焚舟楚軍破釜之類是也

諄諄翕翕徐與人言者失衆也

曹操曰諄諄語貌翕翕失志貌○李筌曰諄諄翕翕竊語貌士卒之心恐上則私語而言是失衆也○杜牧曰諄諄者乏氣聲促也翕翕者顛倒失次貌如此者憂在內是自失其衆心也○賈林曰諄諄竊議貌翕翕不安貌徐與人言遽相問貌如此者必散失部曲也○梅堯臣曰諄諄吐誠懇也翕翕曠職事也緩言彊安恐衆離也○王晳曰諄諄語誠懇之貌翕翕者患其上也將失人心則衆相與語誠懇而患其上也○何氏曰兩人竊語誹議主將者也○張預曰諄諄語也翕翕聚也徐緩也言士卒相聚私語低緩而言以非其上是不得衆心也

數賞者窘也

李筌曰窘則數賞以勸進○杜牧曰勢力窮窘恐衆爲叛數賞以悅之○孟氏曰軍實窘也恐士卒心怠故別行小惠也○梅堯臣曰勢窮憂叛離屢賞以悅衆○王晳曰衆窘而不和裕則數賞以悅之○張預曰勢窮則易離故屢賞以撫士

數罰者困也

李筌曰困則數罰以勵士○杜牧曰人力困弊不畏刑罰故數罰以懼之○梅堯臣曰人弊不堪命屢罰以立威○王晳曰衆困而不精勤則數罰以脅之也○張預曰力困則難用故頻罰以畏衆

先暴而後畏其衆者不精之至也

曹操曰先輕敵後聞其衆則心惡之也○李筌曰先輕後畏是勇而無剛者不精之甚也○杜牧曰料敵不精之甚○賈林曰教令不能分明士卒又非精練如此之將先欲彊暴伐人衆悖則懼也至懦之極也○梅堯臣曰先行乎嚴暴後畏其衆離訓罰不精之極也○王晳曰敵先行列暴後畏其衆離爲將不精之甚也○何氏曰寬猛相濟精於將事也○張預曰先輕敵後畏人或曰先刻暴御下後畏衆叛已是用威行愛不精之甚故上文以數賞數罰而言也

來委謝者欲休息也

李筌曰徐前而疾後曰委謝○杜牧曰所以委質來謝此乃勢已窮或有他故必欲休息也○賈林曰氣委而言謝者欲求兩解○杜佑曰戰未相伏而下意氣相委謝者欲休息也○梅堯臣曰力屈欲休兵委質以來謝○王晳曰

[illegible]

[illegible]者不可之主也[illegible]

[illegible]

[illegible]與人言者大要也[illegible]

勢不能久○張預曰以所親愛委質來謝是勢力窮極欲休兵息戰也

兵怒而相迎久而不合又不相去必謹察之 曹操曰備奇伏也○李筌曰是軍必有奇伏須謹察之○杜牧曰盛怒出陳久不交刃復不解去有所待也當謹伺察之恐有奇伏旁起也○孟氏曰備有別應○梅堯臣曰怒而來逆我久而不接戰且又不解去必有奇伏以待我此以上論敵情○張預曰勇怒而來既不合戰又不引退當密伺之必有奇伏也

兵非益多也 曹操曰權力均一云兵非貴益多○賈林曰不貴衆所貴寡勇擊衆○王晳曰晳謂權力均足矣不以多爲益○張預曰兵非增多於敵謂權力均也

惟無武進 曹操曰未見便也○賈林曰武不足專進專進則暴○王晳曰不可但恃武也當以計智料敵而行○張預曰武剛也未能用剛武以輕進謂未見利也

足以併力料敵取人而已 曹操曰廝養足也○李筌曰兵衆武用力均惟得人者勝也○杜牧曰言我與敵人兵力皆均惟未能用武前進者蓋未得見其人也但能於廝養之中揀擇其材亦足并力料敵而取勝不假求於他也○陳皥曰言我兵力不多於敵又無利便可進不必他國乞師但於廝養中併力取人亦可破敵也○賈林曰雖無武勇之力而輕進足以智謀料敵併力而取敵人也○梅堯臣曰武纖也兵雖不足以纖進足以并給役廝養之力量敵而取勝也○王晳曰晳謂善分合之變者足以併力乘敵閒取勝人而已故雖廝養之輩可也況精兵乎曹說是也○張預曰兵力既均又未見便雖未足剛進足以取人於廝養之中以并兵合力察敵而取勝不必假他兵以助己故尉繚子曰天下助卒名爲十萬其實不過數萬其兵來者無不謂其將曰無爲天下先戰此言助卒無益不如己有兵法也

夫惟無慮而易敵者必擒於人 杜牧曰無有深謀遠慮但恃一夫之勇輕易不顧者必爲敵人所擒也○陳皥曰惟獨也此言殊無遠慮但輕敵者必爲其所擒不獨言其勇也左傳曰蜂蠆有毒而況國乎則小敵亦不可輕○王晳曰唯不能料敵但以武進則必爲敵所擒明患不在於不多也○張預曰不能料人反輕敵以武進必爲人

所擒也齊晉相攻齊侯曰吾姑滅此而朝食不介馬而馳之爲晉所敗是也

卒未親附而罰之則不服不服則難用也杜牧曰恩信未洽不可以刑罰齊之○梅堯臣曰傳至也德以至之恩以親之恩德未敷罰則不服故怨而難使○王晳曰恩信非素浹洽於人心未附也○張預曰驟居將帥之位恩信未加於民而遽以刑法齊之則怒恚而難用故田穰苴曰臣素卑賤士卒未附百姓不信又伍參曰晉之從政者新未能行令是也

卒已親附而罰不行則不可用也曹操曰恩信已洽若無刑罰則驕惰難用也○梅堯臣曰恩德既洽刑罰不行則驕不可用○王晳曰所謂若驕子也○張預曰恩信素洽士心已附刑罰寬緩則驕不可用也

故令之以文齊之以武曹操曰文仁也武法也○李筌曰文仁恩武威罰○杜牧曰晏子舉司馬穰苴文能附衆武能威敵也○王晳曰吳起云揔文武者軍之將兼剛柔者兵之事也

是謂必取杜牧曰文武既

行必也取勝○梅堯臣曰令以仁恩齊以威刑恩威並著則能必勝○張預曰文恩以悅之武威以肅之畏愛相兼故戰必勝攻必取或問曰書云威克厥愛允濟愛克厥威允罔功言先威也孫武先愛何也曰書之所稱仁人之兵也王者之於民因德素厚人心已附及其用之惟患乎寡威也武之所陳戰國之兵也霸者之於民法令素酷人心易離及其用之惟患乎少恩也

令素行以教其民則民服梅堯臣曰素舊也威令舊立教乃聽服○張預曰將令素行其民已信教而用之人人聽服

令不素行以教其民則民不服王晳曰民不素教難卒爲用○何氏曰人既失訓安得服教

令素行者與衆相得也杜牧曰素先也言爲將居常無事之時須恩信威令先著於人然後對敵之時行令立法人人信伏韓信曰我非素得拊循士大夫所謂驅市人而戰也所以使之背水令其人人自戰以其非素受恩信威令之從也○陳皥曰晉文公始入國教其民二年欲用之子犯曰民未知義未安其居此言欲令民不苟

[illegible]

[illegible] 今 [illegible]

[illegible]

[illegible]

[illegible]

[illegible]

[illegible] 今 [illegible]

[illegible]

[illegible] 亼 [illegible] 人 [illegible]

[illegible] 用也 [illegible] 今 [illegible]

[illegible]

[illegible]

[illegible] 用也 [illegible]

[illegible]

其生也於是出定襄王此言示以事君之大義入務利民民懷生矣又辨用之子犯曰民未知信未宣其用於是伐原以示之信此言在往年伐原不貪其利而守其信民易資者不求豐焉此言人無貪詐也明徵其辭公曰可矣子犯曰民未知禮未生其恭於是大蒐以示之禮及戰之時少長有禮其可用也此五者教人之本也夫令要在先申使人聽之不惑法要在必行使人守之無輕信者也三令五申示人不惑也法令簡當議在必行然後可以與衆相得也○梅堯臣曰信服已久何事不從○王晳曰知此者始可言其并力勝敵矣○張預曰上以信使民民以信服上是上下相得也尉繚子曰令之之法小過無更小疑無申言號令一出不可反易自非大過大疑則不須更改申明所以使民信也諸葛亮與魏軍戰以寡對衆卒有當代者不留而遣之曰信不可失於是人人願留一戰遂大敗魏兵是也

十一家註孫子卷中